Atlantische Oceaan
Z
Amazone Monding
Evenaar
Manaus
Santarem
Amazone
Rio Tapajos
Brazilië
Ilha do Patacho
Amazone
Rio Tapajos
Alter do Chao
Nederzetting der garimpeiros
Santarem

DE DOLFIJNENKIND-SERIE

1 Het dolfijnenkind
2 Het monster uit de diepte
3 De poorten van Atlantis
4 De schat van de boekaniers
5 Verdwenen in de Sargassozee
6 Red de dolfijnen!
7 Dolfijnen vrij!
8 Offer in de Andes
9 Dans van de roze dolfijn
10 Victoria (in voorbereiding)

DANS VAN DE ROZE DOLFIJN

Patrick Lagrou
Dans van de roze dolfijn

Illustratie kaart: Siegfried Vynck
Foto omslag: zoo-foto.de, zoo Duisburg
Omslagontwerp: Studio Clavis
Trefw.: avontuur, roze dolfijnen, indianen, Amazone
NUR 283
ISBN 978 90 448 1112 4
D/2010/4124/015

www.clavisbooks.com
www.patricklagrou.be

PATRICK
Lagrou

DANS VAN DE ROZE DOLFIJN

'Als een mooi meisje aan de oever van een rivier sterft, verandert ze soms in een roze dolfijn. Zo kan ze overal heen zwemmen. Maar als er een feest gegeven wordt, komt ze weer aan land. Een nacht lang neemt ze dan haar gedaante van vroeger aan, zodat ze tot het ochtendlicht met de mannen kan dansen ...'
- *een oude indianenlegende uit het Amazonegebied*

'Als er 's avonds een dorpsfeest gehouden wordt, komt er soms een roze dolfijn uit het water. Meestal is het een jonge man die met de mooiste meisjes van het dorp danst. Slaagt hij erin eentje te verleiden, dan neemt hij haar mee naar de rivier. Daar komt het meisje in zo'n wonderbare wereld terecht dat niemand haar ooit nog terugziet ...'
- *een andere oude indianenlegende uit het Amazonegebied*

1

Hartje Brussel, zaterdag 20 december, even na tien uur 's ochtends

De spanning in de zaal steeg. Net als het bedrag dat geboden werd. Vooraan in de zaal naast de veilingmeester stond een ezel met een schilderij van een bekende meester. De meeste aanwezigen waren speciaal daarvoor naar de openbare verkoop gekomen. De rest van de inboedel stelde niet veel voor. Eigenlijk had de markies niet zo veel waardevolle spullen nagelaten. Toch waren er enkele aanwezigen die erg nieuwsgierig waren hoeveel de inhoud van een klein houten doosje zou opbrengen.

Voordat de openbare verkoop begonnen was, had iedereen de stukken die vooraan op een tafel tentoongesteld waren, kunnen bekijken. De meesten hadden het dekseltje van het houten doosje opengemaakt en waren toch even geschrokken. Enkele mensen hadden zich afgevraagd of de inhoud wel echt was. Maar degenen die speciaal voor dit stuk hierheen waren gekomen, hadden in hun handen gewreven. Eindelijk kregen ze nog eens de kans een authentiek tsantsa op de kop te tikken. Letterlijk dan nog!

'Zevenhonderdtwintigduizend frank!'*

Wie biedt er meer?'

De stem van de verkoper weerklonk door de veilingzaal. Tegelijk zwaaide hij vervaarlijk met zijn hamertje.

'Niemand biedt meer dan zevenhonderdtwintigduizend frank? Niemand?'

* *18.000 euro*

De man keek nog eens snel naar alle uithoeken van de zaal, maar geen van de aanwezigen stak nog een hand in de lucht. Het ogenblik daarop kwam het hamertje met een klap op de lessenaar neer. En daarmee had het schilderij een nieuwe eigenaar gevonden.

Twee bedienden namen het kunstwerk weg, terwijl een derde met het volgende voorwerp naar voren trad. Hij overhandigde het aan de veilingmeester.

'En hier,' zei de man, 'hebben we iets heel zeldzaams.'

Een lichte huivering ging door de zaal. De meesten hadden het houten doosje immers herkend. Hoewel het nog geen vijftien centimeter hoog was, was de inhoud ooit veel groter geweest.

Voorzichtig deed de veilingmeester het dekseltje open, zodat iedereen de inhoud kon zien.

Een klein mensenhoofdje, niet groter dan een sinaasappel, werd zichtbaar.

'In het jaar 1935 maakte markies de Nadrin een grote ontdekkingsreis door het Amazonewoud van Zuid-Amerika. Op de grens tussen Ecuador en Peru maakte hij kennis met de Jivaro-indianen, de meest beruchte koppensnellers in de wereld. De markies slaagde erin een reeks verschrompelde mensenhoofden te bemachtigen. De meeste daarvan zijn nog altijd te bezichtigen in het Koninklijk Museum voor Geschiedenis. Maar eentje heeft hij altijd voor zich gehouden. Dit exemplaar hier.'

De veilingmeester hield het doosje zo hoog mogelijk in de lucht.

'Zoals u kunt zien, is dit geen hoofd van een indiaan, maar van een westerling. Deze onfortuinlijke Engelse missionaris probeerde aan het einde van de negentiende eeuw de indianen te bekeren. Helaas is hij nooit in zijn opzet geslaagd.'

Enkele aanwezigen schoten in de lach.

'De markies had meer geluk. Hij behield niet alleen zijn eigen hoofd, maar zag ook de kans dit unieke stuk mee naar huis te nemen. We zetten in met de som van honderdduizend frank. Honderdduizend frank* voor een verkleind mensenhoofd. Wie biedt er meer?'

** 2.500 euro*

2

Diep in de jungle, in het uiterste zuiden van Ecuador, niet ver van de grens met Peru, zaterdag 20 december, even na acht uur 's ochtends

De kleine, blauwe helikopter bleef maar rondcirkelen. Aan boord bevond zich politiecommandant Emilio Morales. Diep onder hem strekte zich het regenwoud uit. Een zee van groen met daar dwars doorheen een lang, rood litteken. Dat was de gloednieuwe weg die nog maar enkele weken geleden was aangelegd. Hoewel het vanuit de helikopter maar een smalle strook was, had de weg al voor veel problemen gezorgd. De aandacht van de commandant bleef dan ook de hele tijd gevestigd op één punt: de plek waar honderden indianen als mieren samen leken te komen. Hoe graag had hij die met één enkele trap uitgeroeid! Maar zo gemakkelijk zou het waarschijnlijk niet zijn. Ze waren immers niet alleen. Tenzij ... Commandant Morales pakte zijn microfoon en riep luitenant Contestador op.

De indianen die de barricade hadden opgeworpen, behoorden bijna allemaal tot de stam van de Shuar. Al eeuwenlang bewoonden ze dit gebied van het Amazonewoud. Tot voor kort werden ze met rust gelaten, maar niet zo lang geleden was daar verandering in gekomen.

De indianen keken omhoog naar de plek waar de helikopter als een horzel in de lucht hing. Hoe graag hadden ze die uit de lucht geschoten! Maar met blaaspijpen ging je geen moderne machine te lijf. Precies daarom hadden ze het anders aangepakt. Na lang aarzelen had hun leider Polycarpo toegestaan dat ook de vrouwen en de kinderen zouden meekomen. Het zou geen gevecht worden, maar een feest. Ze zouden de wereld laten zien dat ze helemaal niet op geweld uit waren. Net als alle andere indianen wilden ze alleen maar vreedzaam verder leven. Op de manier zoals ze dat altijd al hadden gedaan. Dat zouden ze vandaag bewijzen. Speciaal daarvoor hadden ze een team van drie Amerikanen uitgenodigd. Die zouden hun getuigen zijn door met hun camera's alles op foto en film vast te leggen. Alles wat er zou gebeuren of hopelijk niet zou gebeuren. Met de modernste middelen zouden ze proberen te verhinderen dat er leugens verteld zouden worden.

'Begrepen?'

Luitenant Contestador, die beneden stond, had het goed begrepen en hij glimlachte.

'We hebben al twee van de drie Amerikanen gevonden,' zei hij. 'Onze scherpschutters blijven hen in het oog houden. Zodra we de derde in het vizier hebben, brengen we u op de hoogte.'

'Perfect,' riep commandant Morales door de walkietalkie, 'dan kunnen we tot de actie overgaan. We maken er gewoon een einde aan!'

De stapel hout die de indianen in het midden van de weg hadden opgeworpen, werd door twee van hen in brand gestoken. De vlammen zochten hun weg door het hout en laaiden in geen tijd hoog op. Het moment om met z'n allen rond het vuur te dansen, was aangebroken. Mannen, vrouwen en kinderen vingen een krijgslied aan. Op het ritme van de slaginstrumenten dansten ze in een brede kring rond de plaats waar ze al generaties lang de goden van het woud eerden.

Twee videocamera's en een fototoestel legden vanuit verschillende hoeken alles vast. De buitenwereld zou van de hele situatie op de hoogte worden gebracht. Niets zou dat nog in de weg staan ...

Maar het dansen en zingen hield met een ruk op toen er drie schoten weerklonken. Polycarpo draaide zich snel om en zocht naar de drie Amerikanen, in de hoop dat ze alles hadden opgenomen. Tot zijn afgrijzen zag hij dat ze alle drie geraakt waren en dodelijk gewond op de grond lagen. Het ondenkbare was toch gebeurd! Commandant Morales had niet geaarzeld om de getuigen uit de weg te ruimen. Nu zouden de anderen snel volgen.

Het ogenblik daarop barstte de hel los. Overal weerklonk mitrailleurvuur. Paniek maakte zich meester van de indianen. Mannen, vrouwen en kinderen stoven uiteen. Veel van hen werden geraakt en zakten gewond neer. Toen kwamen ook de vier bulldozers in actie die de hele tijd aan de andere kant van de barricade opgesteld hadden gestaan. Ze vormden een front dat over de hele breedte van de weg langzaam dichterbij kwam. De barricade die de indianen met zo veel moeite hadden opgeworpen, zou in een handomdraai worden opgeruimd.

Polycarpo had geen andere keuze meer dan weg te vluchten zoals alle andere indianen, al zouden er maar weinig in slagen. Nog voordat de leden van zijn stam de rand van het oerwoud konden bereiken, werd de ene na de andere neergemaaid. Mannen, vrouwen en kinderen, zonder onderscheid. De ongewapende indianen hadden geen schijn van kans.

Uiteindelijk werd ook Polycarpo getroffen: er ging een kogel door zijn been. De indiaan smakte tegen de grond op het moment dat de bulldozers de barricade aan flarden rukten. In het kielzog van de bulldozers volgden de soldaten. Ze schoten op alles wat bewoog. Hun voornaamste doel bleken de Amerikanen te zijn, of beter, hun camera's. Die werden een voor een opgeraapt en vakkundig vernield.

Het ogenblik daarop zag Polycarpo, die nog steeds probeerde weg te vluchten, hoe een bulldozer recht naar hem toe kwam gereden. De gewonde indiaan bevond zich vlak bij het laaiende vuur. Te laat besefte hij wat de bedoeling van de chauffeur was. Krampachtig probeerde Polycarpo weg te komen, maar de bulldozer was veel sneller dan zijn slachtoffer.

Vanuit de helikopter kon commandant Morales het hele gebeuren overzien. Toen de bulldozer het vuur in reed, riep hij lachend: 'Die brandstapel heeft dan toch nog voor iets gediend!'

3

Vlak bij Santarem, in het centrum van Brazilië, zaterdag 20 december, even na twee uur 's middags

Diep onder het vliegtuigje stroomde de machtige Amazone. Nog geen kwartier geleden was Marijn op het water opgestegen. Toen waren de twee oevers van de rivier amper te zien. Maar op grote hoogte werd het snel duidelijk dat hij zich niet boven een zeearm bevond. De Atlantische Oceaan, waar deze stroom in uitmondde, lag immers meer dan vijftienhonderd kilometer hiervandaan. Toch was het watervlak onder hem nog steeds meer dan tienduizend meter breed. Aan weerszijden daarvan bevond zich een groen regenwoud dat zich tot aan de horizon uitstrekte.

Niet voor niets was de Amazone de machtigste rivier ter wereld. Een vijfde van al het regenwater dat in de oceanen terechtkwam, passeerde immers door haar bedding. En op zee bleef dat water nog steeds drinkbaar, zelfs als je de kust niet meer kon zien. Dat had Marijn vorige week zelf kunnen vaststellen toen ze aan boord van de Alexander Snybolov* de monding van de Amazone waren genaderd. Een van de matrozen had met hem gewed dat hij zonder moeite een glas zeewater kon leegdrinken. Marijn had die weddingschap mooi verloren.

De volgende dag waren Marijn en de andere leden van de expeditie de stroom op gevaren. Toch duurde het nog dagen voordat hij door de verrekijker een van de oevers had kunnen ontwaren. Dat was ook niet verwonderlijk. De monding van de Amazone was nog breder dan

* *Zie 'De schat van de boekaniers'*

de totale lengte van de Schelde. Geen enkele brug zouden ze tegenkomen op hun tocht van meer dan vierduizend kilometer in westelijke richting. Want zo ver zouden ze de stroom proberen op te varen met de Alexander Snybolov. Tot ze in vogelvlucht slechts een kleine vierhonderd kilometer van de Stille Oceaan verwijderd zouden zijn. Verder zouden ze niet meer kunnen varen. Niet alleen de diepgang voor hun vaartuig zou te klein worden, ook de Andes zou hen uiteindelijk de doorgang versperren. Maar zo ver waren ze nog lang niet.

In de buurt van Santarem, de derde grootste Braziliaanse stad aan de Amazone, zouden ze eerst een reeks bijzondere duiken proberen te maken. Op slechts twintig kilometer van elkaar had je niet alleen het diepste punt van de Amazone, maar ook de plaats met het helderste water. Daar hoopten Marijn en zijn vader unieke onderwaterbeelden te kunnen maken van de roze zoetwaterdolfijn.

Marijn had ondertussen een goed overzicht gekregen van de omgeving en besloot zijn kleine vliegtuigje te keren en te laten zakken. Diep onder zich zag hij de Alexander Snybolov als een notendop ronddobberen. Op die boot was hij daarstraks opgestegen.

'Ik heb de monding van de Rio Tapajos gevonden en vlieg er nu heen,' schreeuwde Marijn in de microfoon.

'Oké,' antwoordde zijn vader, 'maar vlieg in geen geval over de grootstad. Zorg ervoor dat je steeds water onder je hebt. Je weet nooit ...'

Marijn had het begrepen. Omdat hij de wielen van zijn microlight had vervangen door een kleine rubberboot, kon hij alleen nog op het water landen. Daarom kon hij beter zo weinig mogelijk over land vliegen. Gelukkig strekte zich onder hem nog steeds het bruine water van de Amazone uit.

Zodra hij Santarem gepasseerd was, zou Marijn de monding van de Rio Tapajos bereiken. Het water van die rivier was kristalhelder. Nergens in het hele Amazonebekken was het water zo geschikt om in te fotograferen en te filmen. Alleen hier zou de vader van Marijn een plek vinden om de roze dolfijn onder water te bestuderen! De informatie die ze anderhalve maand geleden hadden gekregen, bleek dus te kloppen.

Marijn scheerde nu boven de kaaien van de stad. In de verte zag hij hoe het bruine water van de Amazone eventjes blauw kleurde door het water van de Rio Tapajos. Blauw betekende immers steeds helder water. Sinds ze de Atlantische Oceaan achter zich hadden gelaten, had Marijn alleen maar bruin, geel en groen water gezien. Hoeveel je als duiker in dat soort water kon zien, zou nog moeten blijken. Het blauwe water zag er alleszins veelbelovend uit!

Marijn daalde tot op enkele honderden meters hoogte, zodat hij kon zien wat er zich allemaal afspeelde op de rivier. Hij zag de kleine prauwen van de plaatselijke bevolking en de oceaanstomers die nog steeds gemakkelijk tot hier konden komen. Hij had er echter het raden naar wat er vlak onder het wateroppervlak gebeurde. Daar was de stroom nog altijd veel te troebel voor. Tenzij ...

Ja, hoor, daar waren ze weer! Voor de derde keer in evenveel dagen zag hij ze tevoorschijn springen. Een klein groepje tucuxis begon met regelmatige tussenpozen de waterspiegel te doorbreken. Terwijl ze door de lucht zweefden, maakten ze een mooie pirouette om dan met veel gespetter weer in de rivier te verdwijnen. Deze kleine dolfijnensoort, die heel erg op de veel grotere tuimelaars leek, leefde ook in de Amazone. De soort kwam niet alleen in het hele rivierbekken voor, maar ook tot ver daarbuiten, in de Atlantische Oceaan en de Caribische Zee. De kleine, grijze tucuxi was immers een van de weinige dolfijnensoorten die zonder moeite zowel in zoet als zout water kon leven. Als de dolfijnen in de buurt waren, kon je ze meestal boven het water uit zien springen. Alleen jammer dat Marijn ze deze keer niet zou kunnen volgen. Ze gingen de verkeerde richting uit.

De jongen vervolgde zijn route in westelijke richting. Terwijl de grootstad aan zijn linkerkant voorbijgleed, werd het water onder hem alsmaar blauwer. Hij had de monding van de Rio Tapajos bereikt. Net zoals de Amazone was deze zijrivier bijna tien kilometer breed.

Marijn daalde nog meer. Hopelijk is hier onder water iets te zien, dacht hij. Met een beetje geluk misschien zelfs …

In de verte, aan de andere kant van de rivier waar de weerspiegeling van de zonnestralen ophield, meende Marijn iets te zien bewegen. Net zoals een Stuka-duikbommenwerper in de Tweede Wereldoorlog helde hij over en vloog hij naar beneden. Wat hij gezien had, waren waarschijnlijk roze dolfijnen, al konden het ook zwarte kaaimannen, reusachtige katvissen of trage zeekoeien zijn. Die leefden hier ook allemaal.

Hoe dichter de jongen kwam, hoe zekerder hij werd. Krokodillen kon hij al uitsluiten. Daarvoor waren de dieren te bleek. En lamantijnen waren het ook niet. Daarvoor waren ze te snel. En katvissen konden het ook niet te zijn. Daarvoor waren ze te wendbaar. Het konden alleen nog roze rivierdolfijnen zijn.

Even later werd zijn vermoeden bevestigd. Terwijl Marijn traag en laag over de rivier scheerde, zag hij een groepje van vijf dolfijnen die aan het jagen waren. De jongen glunderde. Trots zou hij de andere expeditieleden kunnen zeggen dat hij de eerste exemplaren van de Inia Geoffrensis gevonden had. Ondertussen was het al bijna drie jaar geleden dat hij voor de eerste keer een roze dolfijn had gezien, herinnerde hij zich.* Onwillekeurig moest Marijn aan Talitha denken …

* *Zie 'Het monster uit de diepte'*

4

'Ik heb ze gezien, paps! Roze dolfijnen! En het water is kristalhelder in vergelijking met de bruine soep van de Amazone. We zullen hier prachtig onderzoek kunnen doen. Jammer dat we vandaag niet meer kunnen duiken ...'

'Dat klinkt inderdaad veelbelovend,' antwoordde professor Jansen. 'Ik ben heel benieuwd, maar eerst moeten we onze gids ophalen. Die hebben we echt nodig. Niet alleen voor de dolfijnen, maar ook als loods. De Rio Tapajos is berucht voor zijn verraderlijke zandbanken. En ik wil de andere kant van de Amazone graag met deze boot bereiken.'

Ik ook, wilde Marijn zeggen, maar opeens rook hij verbrande lucht. De jongen was net aan het keren en vloog in zuidoostelijke richting. Zou er iets mis zijn met de motor? dacht hij eerst in paniek. Maar het ogenblik daarop herkende hij de geur: verbrand hout!

De jongen richtte zijn blik op en toen hij in de verte naar de horizon keek, zag hij wat er aan de hand was. De branden die al maandenlang de tropen teisterden, staken ook hier de kop op. Het was begonnen in Zuidoost-Azië in de late zomer. En nu was de andere kant van de Stille Oceaan aan de beurt. De weerkundigen hadden voorspeld dat El Niño ook hier zou toeslaan en jammer genoeg kregen ze gelijk. Op verschillende plaatsen aan de horizon stegen grijze rookpluimen op. Naar jaarlijkse gewoonte werd op dit moment het droge regenwoud in brand gestoken. Een goedkope maar schadelijke manier om aan landbouwgrond te komen. Door de uitzonderlijke droogte van dit jaar liep deze praktijk op veel plaatsen in Brazilië uit de hand. Met als gevolg reusachtige bosbranden, net als in Indonesië en Maleisië. Hopelijk kwamen de vlammen en de rook niet te dichtbij! Er zouden al meer dan genoeg dieren en planten in de vlammen sterven. Als ook de dolfijnen zouden moeten vluchten, zou dat een zware opdoffer zijn voor de expeditie! Vooral nu die zijn eerste bestemming had bereikt.

De vader van Marijn liep al jarenlang rond met het plan om een duikexpeditie op de Amazone te ondernemen. In het voorjaar kwam er eindelijk een doorbraak in die plannen omdat hij financiële steun gevonden had. En toen professor Jansen in de zomer in Europa was, kwam alles in een stroomversnelling. Vanaf toen konden de voorbereidingen voor de expeditie echt van start gaan.

Begin december waren ze eindelijk op Long Island vertrokken met de Alexander Snybolov. Het oceanografische schip had naast vijftien bemanningsleden ook het meest geavanceerde duik- en onderzoeksmateriaal aan boord. Daarmee wilde professor Jansen niet alleen de dolfijnen van de Amazone bestuderen, maar ook onderzoeken of er op de meest afgelegen plaatsen van de stroom nog leven was. Zo was hij van plan om te duiken op een plek die bijna honderd meter diep was. De indianen geloofden dat dit de toegang was tot een heel bijzondere dolfijnenwereld. Maar volgens veel wetenschappers was op zo'n diepte geen leven meer mogelijk. De professor wilde dat zelf onderzoeken en eens en voor altijd een einde maken aan de discussie.

Marijn had veel zin in die diepe duik. Speciaal daarvoor had hij vorige maand in Florida de nodige cursussen gevolgd.

Maar voordat het zover was, zouden ze eerst in de Rio Tapajos een reeks duiken tussen de roze dolfijnen maken. Als die vervloekte bosbranden daar tenminste geen stokje voor staken.

Begin januari, als het droge seizoen voorbij was en het niveau van de Amazone weer hoger lag, zouden ze hun reis in westelijke richting verder zetten. Meer dan drieduizend kilometer zouden ze dan afleggen. Tot in hartje Peru. Daar was het regenseizoen ondertussen al begonnen en dat was ook nodig. Het waterniveau zou veel hoger liggen, waardoor ze de Amazone veel verder zouden kunnen opvaren en ook de dolfijnen in de ondergelopen regenwouden zouden kunnen bestuderen. Wat lagen er nog spannende avonturen in het verschiet, bedacht Marijn.

Een halfuurtje later

De Alexander Snybolov kwam in zicht. Kapitein Winters had net voorbij Santarem, op enkele honderden meters van de oever, het anker uitgeworpen.

Terwijl Marijn naar het schip afdaalde, zag hij hoe een prauw zich van de kant losmaakte en in de richting van het schip voer. Ofwel was dit de gids die aan boord kwam, ofwel waren het mensen die hun waren wilden verkopen. Het konden ook piraten zijn, al was die kans erg klein. Die sloegen meestal 's nachts toe. Sinds ze de Amazone op gevaren waren, moesten ze erg op hun hoede zijn voor dergelijk gespuis. Omdat ze 's nachts niet konden varen, waren ze verplicht in de stroom voor anker te gaan. En daar waren ze natuurlijk een makkelijk doelwit voor rivierpiraten. Daarom moest 's nachts de wacht worden gehouden. Zoals bijna alle andere opvarenden had ook Marijn elke nacht twee uur slaap moeten opofferen. Telkens met z'n tweeën en allebei tot de tanden gewapend. De Alexander Snybolov was in de voorbije jaren al twee keer door piraten overvallen.* Dat mocht hun geen derde keer overkomen!

Hoe dichter Marijn bij het wateroppervlak kwam, hoe dichter de prauw bij het schip kwam. In een flits zag Marijn dat een van de bemanningsleden van de Snybolov zich verdekt had opgesteld met een karabijn. Hoewel dat overdag meestal niet nodig was, was het toch geen overbodige maatregel.

* *Zie 'De schat van de boekaniers' en 'Verdwenen in de Sargassozee'*

Net op het moment dat Marijn het water raakte, bereikte de prauw het schip. Zoals de jongen had verwacht, weerklonken er geen geweerschoten. Terwijl hij naar het schip taxiede, zag hij iemand aan boord klimmen. Nog voordat Marijn zijn motor had afgezet, keerde de prauw alweer terug. De persoon die net aan boord was geklommen, kon alleen maar de gids zijn. Marijn was benieuwd om met de indiaan kennis te maken. De man zou enorm veel afweten van de boto, zoals de roze zoetwaterdolfijn in Brazilië genoemd werd.

Ondertussen gooide een van de bemanningsleden een lijn naar het kleine vliegtuigje en Marijn werd naar het schip getrokken. Met de lier die naar hem toe werd gezwaaid, kon de jongen zijn microlight vastmaken. Het ogenblik daarop sprong hij aan boord en werd het toestel opgetakeld.

'Ha, daar ben je,' riep zijn vader. 'Nu jij ook aan boord bent, staat ons niets meer in de weg om de Rio Tapajos op te varen. Maar eerst moet je kennismaken met Don Otorino, onze gids.'

Professor Jansen keerde zich om en stelde Marijn aan de indiaan voor.

'Hallo,' riep de jongen enthousiast, 'aangename kennismaking. Wanneer breng je ons naar de dolfijnen?'

In plaats van te antwoorden staarde de man Marijn aan alsof de jongen van een andere planeet kwam.

Uiteindelijk schudde hij zijn hoofd en zei hij in het Portugees: 'Cuidado com o boto! Pas op met die dolfijnen! Jij kunt ze beter niet opzoeken. Jij loopt gevaar. Jij, meer dan wie ook!'

5

Op de Rio Tapajos, niet ver van de oever, zondag 21 december, na middernacht

In het licht van de volle maan, die hoog boven de rivier hing, stond Marijn op wacht bij de boeg van de Alexander Snybolov. In zijn handen hield hij de karabijn. Achter op het schip zat Jason op de uitkijk. Zodra een vaartuig te dicht naderde, moesten ze reageren, desnoods door een waarschuwingsschot te lossen! Hopelijk kwam het niet zover en bleef alles rustig.

Op enkele honderden meters van de oever was de Alexander Snybolov voor anker gegaan. Het traag vloeiende water had de neus van het schip naar het zuiden gekeerd. Een kleine kilometer stroomopwaarts lag het dorpje Alter do Chao in het maanlicht. Gisteravond had Marijn het alleen maar zien liggen, maar nu kon hij het ook horen. Ondanks het gekwaak van duizenden Curucukikkers hoorde hij de muziek die in het dorp gespeeld werd. Er was blijkbaar een groot feest aan de gang.

Marijn dacht terug aan het verhaal dat Don Otorino die avond over het dorp had verteld, net voordat hij aan land ging om mee te feesten.

'Die nacht was het weer volle maan. Terwijl iedereen in het dorp aan het drinken en dansen was, verscheen er een knappe man op het feest. Hij had blond haar, een blanke huid en diepblauwe ogen. Een van de aantrekkelijkste meisjes vroeg hem onmiddellijk ten dans.

"Waar kom jij vandaan?" vroeg ze verwonderd. "Ik heb jou nooit eerder gezien!"

"En toch woon ik hier niet zo ver vandaan," antwoordde de man. "Elke keer als je gaat zwemmen, bewonder ik je. Maar jij hebt nooit aandacht voor mij."

Het meisje kon het bijna niet geloven. Zo'n knappe kerel! In geen tijd was ze smoorverliefd op hem. Urenlang bleven ze dansen. Toen vroeg hij haar of ze met hem wilde trouwen.

"Ik zal jou een geschenk geven," zei hij. "Hier, een gouden horloge. Mijn vader is heel rijk. Waar wij wonen, liggen bergen goud. Op een dag zal ik jou daarheen brengen. Daarom geef ik jou ook nog deze gouden verlovingsring."

Het meisje was door het dolle heen. Maar de jonge man waarschuwde haar dat ze haar geschenken aan niemand mocht laten zien. Niet aan haar moeder, niet aan haar vader en ook niet aan haar broers of zussen.

"Stop ze weg," voegde hij er snel aan toe. "Dan zullen ze jou veel geluk brengen."

Ze bleven dansen tot het feest afgelopen was. Daarna spraken ze af om elkaar op het volgende feest bij volle maan terug te zien. Ze namen afscheid en nog voor het ochtendgloren was de man verdwenen.

Het meisje kon echter de verleiding niet weerstaan om iedereen in het dorp haar geschenken te laten zien. En ze vertelde iedereen ook wat er gebeurd was. Het hele dorp was ervan overtuigd dat ze kennis had gemaakt met de zoon van een rijke garimpeiro, een goudzoeker. Een eind stroomopwaarts aan de Rio Tapajos waren er daar meer dan genoeg aan het werk!

Zoals afgesproken, was de man op het volgende feest van de partij. Iedereen keek ernaar uit hem te ontmoeten. Ook deze keer had hij geschenken mee: prachtige schoenen met grote gouden knopen en een schitterend halssnoer. Ze zouden immers trouwen. Maar net zoals de vorige keer drong hij erop aan alles geheim te houden.

Toen de man aanstalten maakte om te vertrekken, vroeg het meisje hem te blijven. Ze probeerde hem tegen te houden, maar slaagde er niet in. Hij beloofde wel terug te komen. Uiteindelijk verdween hij in het struikgewas en even later hoorde iedereen een plons in het water. Niemand dacht daar verder over na.

Net zoals de vorige keer liet het meisje haar geschenken aan iedereen zien. Toen de man weer op het feest verscheen, was hij erg kwaad.

"Tot tweemaal toe heb jij niet gedaan wat ik je heb gevraagd," riep hij. "Een derde kans krijg je niet. Daarom zul je me nooit meer terugzien!"

Het ogenblik daarop sprong hij in het water en verdween hij. Meteen veranderden de schoenen van het meisje in twee gepantserde katvissen. Haar ring werd een dikke worm, haar horloge een wegkruipende krab en haar halssnoer een kronkelende boa. Het meisje gilde het uit en begon vreselijk te huilen. Er kwam geen einde aan haar verdriet. Omdat ze er niet in slaagde het verlies van haar verloofde te verwerken, werd ze uiteindelijk gek.'

Waarom had Don Otorino hem dit verhaal verteld? vroeg Marijn zich af. En waarom had hij de jongen gewaarschuwd dat hij de dolfijnen beter niet kon opzoeken? Die intelligente dieren vormden toch geen gevaar voor hem! Hij ging al zo lang met dolfijnen om. Hij kende ze beter dan wie ook. Of kwam het gevaar misschien uit een heel andere hoek? Net omdat hij zo'n speciale band had met dolfijnen?

Marijn had geen idee wat de man bedoelde, maar hij had het gevoel dat hij er niet lichtzinnig overheen mocht gaan. Don Otorino leek niet de eerste de beste te zijn. Dat had de jongen vanaf het eerste moment door. De bejaarde indiaan was waarschijnlijk veel meer dan alleen maar een ervaren gids. Hij leek bijzonder goed op de hoogte te zijn van alle aspecten van de natuur. Misschien was hij een sjamaan of curandeiro, zoals ze dat hier noemen. Marijn kon maar niet beslissen of hij rekening moest houden met de waarschuwing. Zou hij zich werkelijk in de nesten werken als hij de roze dolfijnen toch opzocht?

De jongen haalde zijn schouders op. Hij wist niet wat hij ervan moest denken. Precies op dat moment hoorde hij een diepe zucht over het water gaan. In het licht van de volle maan zag Marijn een lange, bleke snoet met daarachter een dikke bobbel traag boven water komen. Het hoofd van een rivierdolfijn!

Langzaam dook het dier weer onder, waarbij het zijn platte rugvin liet zien. Nog even een glimp van zijn staart en toen was de boto alweer verdwenen. Net zoals in het verhaal van Don Otorino, want de onbekende gast bleek uiteindelijk een dolfijn te zijn.

Opnieuw vroeg Marijn zich af wat de indiaan hem had willen vertellen? Maar nogmaals werden de gedachten van de jongen onderbroken, deze keer door voetstappen op het dek. Met een ruk keerde hij zich om. Het was zijn vader.

'Jouw beurt zit erop,' zei die. 'Het is twee uur. Ga jij nu maar slapen. Morgen zoeken we onder water de dolfijnen op. Je zult je krachten best kunnen gebruiken.'

Marijn overhandigde zijn vader de karabijn en zei welterusten. Blijkbaar hield zijn vader helemaal geen rekening met de woorden van de indiaan. Misschien moest hij dat ook maar doen.

6

Op de Rio Tapajos, een eind stroomopwaarts, zondag 21 december, 's ochtends

Het water van de rivier was helemaal niet zo helder als dat van de Caribische Zee of de Middellandse Zee, maar voor een rivier in hartje Brazilië had je hier toch een uitstekend zicht. Je kon onder water zeker acht meter ver kijken. Dat betekende dat je niet alleen het hele lijf van de dolfijnen duidelijk kon zien, maar ook dat je er meerdere tegelijk kon bekijken. En dat was pas echt interessant voor een dier dat nog maar zelden onder water bestudeerd was.

De drie rivierdolfijnen die de opvarenden van de Alexander Snybolov na een tocht tussen de verraderlijke zandbanken hadden ontdekt, waren er nog altijd. In tegenstelling tot wat professor Jansen aanvankelijk had gevreesd, waren ze er niet vandoor gegaan. Ook niet toen de boot zijn anker uitgeworpen had en de motor afgezet was. Zelfs nadat Marijn, zijn vader en Jason het water in waren gegaan, bleven ze in de buurt.

De eerste minuten onder water was het bang afwachten geweest of de dieren zich ook daar zouden laten zien. Tijdens die lange minuten had Marijn zich voortdurend afgevraagd of hij niet beter boven was gebleven. Welk gevaar kon hem bedreigen? Een aanval van een zwarte kaaiman, een giftige waterslang of een school bloeddorstige piranha's? Dan zou Don Otorino de anderen toch ook hebben gewaarschuwd, nee?

Kort daarop was de eerste dolfijn uit de mistige achtergrond tevoorschijn gekomen. Hij bleek even nieuwsgierig te zijn als de duikers. Hoewel die al veel dolfijnen geobserveerd hadden, waren ze toch verbaasd toen ze de roze dolfijn zagen. Het dier was helemaal anders gebouwd dan de meeste andere dolfijnen. Door de lange snuit, de grote bult op zijn voorhoofd, de korte rugvin en de kleur was deze soort de clown onder de dolfijnen. In plaats van lichtroze was dit exemplaar eerder witgrijs. Dat kwam waarschijnlijk door het heldere water en de zandige bodem. Rivierdolfijnen die in de donkere Amazone of in de ondergelopen regenwouden leefden, varieerden van lichtroze tot zalmroze.

Ook de bewegingen van de dolfijn verschilden van andere soorten en waren grappig om te zien. Het dier gedroeg zich als een clown in een circus! Het kon dansen als een beer en kronkelen als een slang. Zo'n soepele bewegingen kon geen enkele andere dolfijn maken!

Tot slot was de sonar van deze dolfijn veel beter ontwikkeld dan die van andere soorten. Telkens als het dier zijn kop in de richting van Marijn zwaaide, voelde de jongen de trillingen door zijn hele lijf gaan. Zo'n gevoel kreeg je ook in je mond als je met je tanden op elkaar neuriede. Bij andere dolfijnen had Marijn dat ook al meegemaakt, maar nog nooit zo hard. Als die trillingen zo hard door je lijf gingen, mocht je er zeker van zijn dat het dier ook de binnenkant van je lichaam kon zien. Een vrouw die zwanger was, zou het voor dit dier nooit verborgen kunnen houden. Even moest Marijn aan Talitha denken ...

En alsof ze zijn gedachten hadden geraden, kwamen uit de mistige achtergrond een moederdolfijn en haar kleintje tevoorschijn. Marijn zag hoe het tweetal op een veilige afstand schuin boven hem verder zwom. Het kalfje bleef vlak boven de moeder hangen en hield zijn snuit tegen die van zijn moeder. Met een van zijn vinnen hield het zijn moeder voorzichtig vast. Op die manier draaiden de twee rondjes om de drie duikers. Terwijl Jason filmde, maakte professor Jansen ijverig notities op zijn onderwaterlei. Marijn was zo gefascineerd door het schouwspel dat hij bijna vergat te fotograferen.

Het ogenblik daarop gebeurde er iets merkwaardigs. Het kleintje liet zijn moeder los en de moederdolfijn blies een gordijn van luchtbellen. Terwijl het kalfje erdoorheen zwom, maakte de moeder nog meer bellen. Het kleintje stoeide en draaide dat het een plezier was. Geen van de drie duikers had ooit zoiets gezien!

Het spel duurde nog een paar minuten tot de drie dolfijnen zich opeens omkeerden en ervandoor gingen. Het ogenblik daarop waren ze verdwenen in het mistige water.

Wat was er gebeurd? Hadden de dolfijnen besloten dat de duikers genoeg hadden gezien? Of waren ze door iets geschrokken? Misschien kwam er zo meteen een of ander roofdier tevoorschijn?

Er bleek echter niets aan de hand te zijn en de drie dolfijnen waren definitief vertrokken. Voor de drie duikers betekende dat meteen ook het einde van hun uitstap onder water.

Samen met Jason en zijn vader steeg Marijn op. Terwijl hij naar het aangemeerde schip zwom, dacht hij terug aan de moederdolfijn en haar kleintje. Door mee op expeditie te gaan was hij verplicht geweest om thuis op Long Island ook een kleintje achter te laten. Hij had het kindje graag meegenomen, maar daar waren de risico's net iets te groot voor. Nu zorgde de moeder van Marijn ervoor. De echte moeder was er immers niet meer.

'Wel, voor onze allereerste duik tussen de rivierdolfijnen mogen we zeker niet klagen,' waren de eerste woorden van professor Jansen toen Marijn aan boord klom.

'En ik heb unieke beelden op mijn filmcamera staan,' voegde Jason er onmiddellijk aan toe.

'Maar jij hebt niet veel foto's genomen, geloof ik,' zei de vader van Marijn tegen zijn zoon. 'Jij zat ver weg met je gedachten. Onze indiaan heeft je blijkbaar goed te pakken!'

Iedereen schoot in de lach. Marijn wilde reageren en zeggen dat zijn vader het bij het verkeerde eind had. Maar dan zou hij uitleg moeten geven en dat deed hij liever niet. Hij besloot te zwijgen.

Terwijl de jongen zijn duikuitrusting uittrok, kwam Don Otorino naast hem staan.

'Ik wist dat jij die moederdolfijn en haar kleintje zou ontmoeten,' zei de indiaan. 'Jij wilde per se tussen die boto's duiken, wel, dan heb je nu een voorsmaakje gekregen van wat je te wachten staat. Als je nu doorzet, kies je ervoor om de gevolgen te dragen ...'

'Maar wat bedoel je daar precies mee?' vroeg Marijn toen de man aanstalten maakte om door te lopen.

Een geheimzinnige glimlach verscheen op de lippen van de man. 'Dat wil ik je straks vertellen, als we verder varen.'

Don Otorino keerde zich om en liet de jongen beduusd achter.

Een halfuur later

De Alexander Snybolov ploegde zich een weg door het water. Vooraan bij de boeg zat Don Otorino. Marijn ging naast hem zitten. De jongen zweeg, want hij wilde de man niet storen.

De indiaan was de rivier aan het 'lezen'. Zo noemde hij zijn manier van werken. Op basis van de bewegingen van het oppervlaktewater kon hij met grote nauwkeurigheid zeggen wat er zich net onder het oppervlak bevond. Dat kon de vaargeul zijn, maar ook een ondiepe zandbank waarop het schip onherroepelijk kon vastlopen. En alle mogelijkheden daartussenin.

Zonder aarzelen wist de indiaan het schip doorheen de hindernissen van de stroom te loodsen door op kritieke momenten met zijn armen te zwaaien. Hij was net een dirigent die een orkest leidde.

Hoe deed die man dat toch? vroeg Marijn zich af. Het was immers niet de eerste keer dat de jongen bij de boeg zat. Toen ze de Atlantische Oceaan achter zich lieten en de Amazone op gingen, had Marijn zich kandidaat gesteld om vooraan op de uitkijk te staan. Drijvende boomstammen vormden immers een groot gevaar. Als die tegen de romp botsten of in de schroeven terechtkwamen, konden die zware averij veroorzaken. Dat was ook de reden waarom er nooit 's nachts gevaren werd. Marijn wist dus hoe moeilijk het was om de rivier te 'lezen'.

Maar de jongen was nog veel nieuwsgieriger naar wat de indiaan te vertellen had over zijn ontmoeting met de dolfijnen.

'Hoe wist jij dat we die moederdolfijn en haar kalfje zouden tegenkomen?' durfde hij uiteindelijk aan Don Otorino te vragen.

Marijn was ondertussen ook te weten gekomen dat de indiaan wel degelijk een curandeiro was. Als sjamaan zou hij waarschijnlijk over een heleboel andere middelen beschikken om kennis op te doen.

'Omdat de boto's het mij gisteravond verteld hebben,' zei die.

'Gisteravond?' vroeg Marijn. 'Toch niet tijdens het dorpsfeest?'

'Natuurlijk, dat is voor mij de enige gelegenheid om op een normale manier boto's te ontmoeten.'

Marijn wist niet wat hij hoorde. Nam de man een loopje met de werkelijkheid? Loog hij, of sprak hij de waarheid? Of tenminste zijn waarheid?

'Een van hen heeft mij trouwens verteld,' zo ging de indiaan verder, 'dat hij jou gezien heeft terwijl je de wacht hield. Je dacht nog altijd na over het verhaal dat ik gisteravond heb verteld.'

'Maar hoe ...'

'Hoe zij dat weten? Wel, boto's kijken gewoon door je heen. Ze lezen je gedachten zoals ik de rivier lees. Maar dan nog veel beter. Daarom moet je voor hen oppassen. Maar blijkbaar wil jij toch je eigen weg gaan. Om die reden waarschuw ik je nogmaals. Het wordt een weg met veel gevaren en zware hindernissen!'

'Wat staat er mij dan te wachten?'

'Dat kan ik je niet zeggen. Maar misschien geeft dit verhaal je een idee.'

Marijn ging zitten en luisterde aandachtig. Hij had dan wel veel moeite om alles te geloven wat die indiaan zei, maar zijn verhalen vond hij gewoon prachtig.

'Op een avond met volle maan was er een dorpsfeest. Alle meisjes waren mooi uitgedost en wedijverden met elkaar voor de knapste jongens. Toen er een knappe vreemdeling verscheen, veroverde hij op slag de harten van alle aanwezige meisjes. Maar alleen het mooiste meisje slaagde erin zijn belangstelling te winnen. De twee werden verliefd op elkaar en dansten de hele nacht lang.

Een van de mannen uit het dorp besefte dat de vreemdeling een boto was en hij verjoeg hem. Het meisje kon hem echter niet laten gaan. Ze volgde hem naar het strand, waar ze met elkaar sliepen tot het ochtendgloren. Toen sprong de jongen overeind en verdween hij in het water.

Het meisje was doodongelukkig. Ze zocht de curandeiro van het dorp op in de hoop dat hij haar geliefde zou vinden. In een droom zag de sjamaan dat het meisje zwanger was en dat de vader een boto was.

Bij de volgende volle maan was er opnieuw feest. De maan riep de boto uit het water. Hij kwam naar het dorp om zijn geliefde te ontmoeten. Het meisje was dolgelukkig en vertelde hem dat ze zijn kind droeg. Nu was de boto verplicht haar uitleg te geven. Hoewel hij van haar hield en bij haar hoorde, kon hij haar maar een enkele keer per maand opzoeken. Alleen bij volle maan kon hij zichzelf veranderen in een mens. De rest van de tijd bracht hij door in een andere wereld, de Encante, de toverwereld van de dolfijnen. Bij elke volle maan zocht de boto het meisje trouw op.

Toen werd de baby geboren. Net zoals de boto had het kindje een blanke huid en een blaasgaatje boven op zijn hoofdje. Omdat het kindje niet in het water kwam, groeide het gaatje heel snel dicht.

Op het volgende feest liet het meisje de baby zien aan de boto. Hij was ontzettend trots en danste de hele nacht met de moeder en haar kindje. En dat zou hij nog jaren blijven doen.'

Marijn staarde Don Otorino vol ongeloof aan.

'En ik kan het weten,' voegde Don Otorino eraan toe, 'want ik was die curandeiro!'

7

Op de Rio Tapajos, vrijdag 26 december, tweede kerstdag, een halfuur na zonsopgang

Marijn lag in zijn kooi en werd langzaam wakker. Hij keek naar het duikhorloge dat om zijn pols hing en zuchtte. Nog zo vroeg!

En dat terwijl het gisteravond lang had geduurd voordat hij eindelijk had kunnen inslapen. Urenlang had hij liggen nadenken over wat Don Otorino hem allemaal had verteld.

Omdat het gisteren Kerstmis was, had professor Jansen besloten niet te werken. Het was dus een dagje zonder roze dolfijnen.

De dagen daarvoor hadden ze elke dag meerdere duiken gemaakt. En elke keer hadden ze de vriendelijke rivierdolfijnen ontmoet. Op een keer hadden ze onder water zelfs kennisgemaakt met een groep tucuxi's, al was die ontmoeting van korte duur geweest.

De allereerste duik, waarbij Marijn de moederdolfijn en haar kleintje had ontmoet, bleef de jongen echter het beste bij. Tijdens alle andere duiken had hij gehoopt het tweetal terug te zien. Maar dat was niet gebeurd.

Gisteren hadden ze samen met de inwoners van Alter do Chao Kerstmis gevierd. Bijna de hele middag hadden ze aan de feesttafel doorgebracht. Op het menu stonden grote hoeveelheden typisch Braziliaanse visgerechten zoals tambaqui com leite de coco (tambaqui met kokosmelk) en isca de pirarocu (gebakken pirarocu). Om duimen en vingers bij af te likken!

Uiteraard had Marijn ervoor gezorgd dat hij aan tafel naast Don Otorino zat. Hij wilde maar al te graag meer te weten komen over de roze rivierdolfijnen. En vooral over de vreemde wereld die de Encante werd genoemd. Een betere kans zou de jongen waarschijnlijk niet krijgen.

Aan het begin van de maaltijd was de indiaan echter nogal terughoudend. Veel nieuws kreeg Marijn niet te horen. Pas toen er voldoende flesjes van het zoete, bruine Caracubier waren opengetrokken, liet de man meer los. En uiteindelijk begon hij vol vuur te vertellen over de Encante.

Op die informatie over de toverwereld van de dolfijnen had Marijn dagen gewacht. Want ook al geloofden veel bewoners van het Amazonewoud in de Encante, de meesten wilden er geen uitleg over geven. Zeker niet aan westerlingen die hen waarschijnlijk toch zouden uitlachen. Hier werd er echter veel rekening gehouden met de toverwereld.

Don Otorino vertelde hoe de Encante zich onder de waterspiegel uitstrekte. Gezien de enorme omvang van het Amazonebekken en de ondergelopen regenwouden moest die wereld gigantisch zijn. Alles was er veel mooier en het leven veel beter. Er lagen onmetelijke rijkdommen. Er werd dag en nacht muziek gemaakt, gedanst en gezongen. Wie er terechtkwam, wilde niet meer terug.

De Encante werd bewoond door de Encantados, zowel mensen als dolfijnen. Mensen konden er de vorm van dolfijnen aannemen en dolfijnen die van mensen. Die laatste deden dat vooral als ze bij volle maan aan land gingen om te dansen en mensen te verleiden en naar hun wereld te lokken.

Het klonk allemaal zo mooi, vond Marijn. Urenlang had hij er vannacht over liggen nadenken. De jongen vond het ook grappig dat hij al die magische dingen te weten was gekomen op een van de belangrijkste christelijke feesten van het jaar. Toch was dat niet zo vreemd. Hoewel de meeste Brazilianen officieel christelijk waren, bleek dat in werkelijkheid een dun laagje vernis. De meesten voelden zich diep vanbinnen nog steeds verbonden met de natuur en het geloof waarmee hun voorouders duizenden jaren geleefd hadden. Wat Don Otorino hem gisteren over de Encante had verteld, beschouwde Marijn helemaal niet als dronkenmanspraat. De alcohol had er alleen maar voor gezorgd dat de man veel makkelijker en sneller zijn ziel bloot had durven te leggen. Marijn had dan ook veel respect voor de indiaan.

Maar bestond die wereld nu echt of niet? vroeg Marijn zich af. Don Otorino en vele anderen leken er rotsvast in te geloven. Zijn vader, de nuchtere wetenschapper, zou dit hele verhaal daarentegen als een fabeltje beschouwen.

En hij? Marijn had er dolgraag in willen geloven. Misschien had hij de keiharde waarheid die hem enkele maanden geleden bij de keel had gegrepen dan veel makkelijker kunnen verwerken. Maar Marijn was geen indiaan. De jongen was opgegroeid in een wereld die veel nuchterder was. Een wereld die ook mooie verhalen kende, maar de meeste bleken achteraf niet waar te zijn. Neem nu het kerstverhaal, dacht hij. Hoeveel waarheid zat daarin?

De jongen haalde zijn schouders op. Zijn gedachten werden onderbroken toen hij boven in de stuurhut muziek hoorde. Jason, die op wacht stond, had de radio aangezet om de anderen op een zachte manier wakker te maken. Dat was ondertussen een vaste gewoonte geworden.

Marijn besloot op te staan en hij sprong uit zijn kooi. Hij trok een korte broek en een T-shirt aan en rende naar boven. Daar kon hij duidelijk horen hoe Bing Crosby uit volle borst 'I'm Dreaming of a White Christmas' zong.

Marijn herinnerde zich hoe hij een jaar geleden op Long Island naar hetzelfde kerstliedje aan het luisteren was, toen zijn moeder hem de opdracht had gegeven in Florida nog snel twee dozen kastanjepuree op te halen.*

* *Zie 'Verdwenen in de Sargassozee'*

De tekst klonk nog vreemder nu Marijn zich op slechts driehonderd kilometer van de evenaar bevond en bijna helemaal omringd was door tropisch regenwoud.

'Hallo Marijn,' riep Jason lachend. 'Het ziet ernaar uit dat het liedje waarheid zal worden.'

'Hoezo?' vroeg Marijn.

'We krijgen vandaag een witte kerst. Heb je nog niet gezien dat het buiten aan het sneeuwen is?'

'Sneeuwen?' riep Marijn. 'Hier in de tropen? Dat is toch onmogelijk!'

De jongen stormde naar buiten. En toen zag hij het. Uit de hemel dwarrelden witgrijze vlokken naar beneden. Het dek van de Alexander Snybolov lag al bijna helemaal bedolven onder een dikke laag. Maar toen Marijn er met zijn blote voeten over liep, voelden de vlokken helemaal niet koud aan, integendeel.

Marijn besefte wat er aan de hand was. En de geur die in de lucht hing, bevestigde zijn vermoeden.

'De bosbranden!' riep hij. 'Die zijn vlakbij.'

'Ze zijn vannacht in elk geval dichterbij gekomen,' antwoordde Jason. 'Toen ik met mijn wachtbeurt begon, was het nog donker genoeg om aan de horizon enkele rode streepjes te zien. Nu is het allemaal rook en as geworden. Maar ik denk niet dat wij gevaar lopen. De rivier is breed genoeg om de brand tegen te houden.'

'En de dolfijnen? Zullen die geen hinder ondervinden?'

Marijn keek naar het wateroppervlak en zag daar ook vlokjes as drijven. Gelukkig veel minder dan op het schip. Toch had de jongen de indruk dat er ook met het water van de Rio Tapajos iets verkeerd was.

'Het water ziet er zo troebel uit!' riep hij naar Jason. 'Vind jij ook niet?'

Jason staarde naar het water en zei: 'Inderdaad, ik heb er daarnet niet op gelet, maar nu zie ik het ook. Het is niet meer doorzichtig.'

'Daar wil ik het fijne van weten,' riep Marijn.

De jongen pakte de eerste de beste duikbril die hij kon vinden en zette hem op. Met de kleren die hij om zijn lijf had, sprong hij overboord.

Onder water kwam hij in een zee van bellen terecht. Maar zodra die verdwenen waren, zag hij dat hij omringd was door zandkleurig water waarin hij amper een hand voor ogen kon zien.

De duiken die ze vandaag hadden gepland, konden ze gegarandeerd vergeten.

3

DRIE AMERIKANEN BRUTAAL AFGEMAAKT DOOR INDIANEN!

Het voorbije weekend werden in het Amazonewoud van Ecuador de verminkte lijken teruggevonden van drie Amerikaanse journalisten. Met het oog op een interessante reportage was het drietal doorgedrongen tot het grensgebied met Peru. Daar zijn ze in een hinderlaag gelopen en afgemaakt door indianen. Dit nieuws werd ons gemeld door de Ecuadoriaanse politie, die de lijken op het spoor was gekomen. Van oudsher wordt dit gebied gecontroleerd door de beruchte Jivaro-indianen, die zich nog steeds tegen elke inmenging van buitenaf verzetten. Het zijn trouwens dezelfde indianen die bekendstaan als koppensnellers en voor wie nog altijd grote belangstelling bestaat. Op een veiling in Europa werd datzelfde weekend een bedrag van meer dan zesduizend dollar geboden voor een mensenhoofd dat van deze bloeddorstige indianenstam afkomstig zou zijn.

Augusto da Silva vouwde zijn krant dicht. Dat was dan toch goed nieuws. Nu konden ze er zeker van zijn dat alles uitgevoerd zou worden zoals gepland. Niets zou de exploitatie door Toxico nu nog in de weg staan. Jammer dat dergelijke praktijken in dit land bijna niet meer toegepast werden. Anders hadden ze hun werkzaamheden hier zonder enige onderbreking verder kunnen zetten.

'Ze hadden hier op dezelfde manier korte metten moeten maken met die pottenkijkers,' riep hij. 'Die moeten ons niet op de vingers komen kijken. Die hebben hier niets te zoeken! Nietwaar, Ramon?'

‘Zeker, baas!’

‘Goed van jou om samen met die nieuwe vergunning ook de krant van enkele dagen geleden mee te brengen. Dat artikel is tenminste goed nieuws!’

‘Je mag ook van geluk spreken dat ze me eergisteravond konden afzetten. Anders hadden we gisterochtend nog niet kunnen beginnen.’

‘Inderdaad, met alle rook van die bosbranden had ik niet gedacht dat het watervliegtuig zou kunnen landen. Maar we lagen al zo lang stil dat ik echt geen dag langer wilde wachten.’

‘Alles is dan toch in orde gekomen. Ik kleed me snel om. Aurelio kan elk moment boven water komen en ik moet klaarstaan om hem af te lossen.’

‘Groot gelijk, Ramon. We moeten nu dag en nacht doorwerken. Als het regenseizoen begint, moeten we sowieso opnieuw stoppen!’

Augusto da Silva stond op, sprong van de schuit en liep de oever van de Rio Tapajos op.

Boven op de berm keerde hij zich om. Vol trots keek hij naar zijn onderneming, die weer op volle toeren draaide. De nieuwe vergunning had hem weer een heleboel smeergeld gekost, maar met een beetje geluk zou hij veel kunnen binnenrijven in de weinige tijd die hem restte. Jammer dat het regenseizoen alweer naderde. Dan zou de zaak weer een aantal maanden stilliggen.

Toen hij naar de plek keek waar de stroom tussen het groen verdween, zag Augusto da Silva iets heel vreemds boven de bomen uit komen ...

‘Ik heb de smeerlappen gevonden, paps! Je had het bij het rechte eind, hoor. En ze zitten niet eens zo ver!’

‘Goed, wacht daar in de buurt, Marijn. We komen eraan. Maar blijf wel op een veilige afstand, die mannen deinzen waarschijnlijk nergens voor terug!’

'Oké,' antwoordde de jongen, 'ik zal zo veel mogelijk afstand houden.'

De jongen maakte een grote bocht, zodat hij ver genoeg van de schuiten kon landen. Eerst speurde hij de rivier af om te controleren of er geen zandbanken waren. Voor een vliegtuig dat op het water wilde landen, was dat de gevaarlijkste hindernis om over de kop te gaan. Een kleine twintig jaar geleden was de zoon van de befaamde commandant Cousteau op die manier verongelukt.

Gelukkig was er geen rook meer. In de loop van de nacht waren de branden voldoende uitgewoed, zodat Marijn zonder enig risico kon opstijgen. Hij had wel vierentwintig uur moeten wachten.

Gisterochtend was zijn vader snel tot de conclusie gekomen dat het troebele water van de Rio Tapajos niet veroorzaakt was door neervallende as, maar door iets anders. Pas nadat hij in het kleine laboratorium aan boord een staal van het water had onderzocht, durfde hij zich definitief uit te spreken over de werkelijke oorzaak.

'Die troebelheid is gewoon omgewoeld rivierzand,' had hij toen gezegd. 'Exact het soort zand dat onder onze boot op de bodem van de rivier ligt. En er zit zo goed als geen as van verbrande bomen tussen. Dat wijst erop dat er stroomopwaarts garimpeiros aan het werk zijn. Het is gewoon onvoorstelbaar dat die nog steeds vergunningen krijgen. Zodra de rook wat is opgetrokken, wil ik daar een kijkje gaan nemen.'

De rook gooide echter nog een hele tijd roet in het eten. Pas 's avonds was die voldoende opgetrokken om het erop te wagen, en toen was het natuurlijk te laat. Het zou snel donker worden. En dus moesten ze wachten tot de volgende dag.

Vanochtend was de rook gelukkig verdwenen. Daardoor kon niet alleen het schip vertrekken, maar kon Marijn ook zonder gevaar opstijgen om een verkenningsvlucht te maken. Op die manier wisten ze precies hoe ver ze zouden moeten varen.

Vanuit de lucht was het niet moeilijk om de rivier te volgen. Het was wel even wennen aan de geelbruine kleur, nu hij een week blauw water had gezien. Marijn moest ook slikken toen hij het zwartgeblakerde en smeulende landschap onder zich zag passeren. Enkele dagen geleden krioelde het daar nog van leven, nu was het een doodse omgeving. En ook hier had de mens schuld aan …

Uiteindelijk had hij op slechts enkele kilometers van de Alexander Snybolov de schuiten van de garimpeiros aangetroffen. Hij zou via het land dichterbij proberen te komen. Dus moest hij zijn vliegtuigje veilig beneden zien te krijgen.

Marijn daalde af en maakte zich klaar voor de landing. De rubberboot die onder het vliegtuigje was gemonteerd, raakte het water en gleed verder in de richting van de oever. Marijn remde af en stuurde het toestel naar een klein strandje, waar hij tot stilstand hoopte te komen. Dan kon hij zonder moeite zijn microlight op het droge trekken.

Zoals altijd was de landing het moeilijkste deel van de vlucht, zeker als je op een bewegende ondergrond moest neerkomen. Marijn had ondertussen echter genoeg ervaring om dit tot een goed einde te brengen. De landing was perfect!

Met een opgerold koord in de hand sprong de jongen uit zijn vliegtuigje. Hij trok het toestel nog wat hoger op en maakte het toen vast aan een boom. Nu moest hij alleen nog wachten tot de Alexander Snybolov hier voorbijkwam. Dat zou waarschijnlijk maar een kwartier duren. Al die tijd zou hij hier dus moeten blijven zitten. Tenzij …

Marijn liet het strandje snel achter zich en liep de steile oever van de rivier op. Daarboven zou hij tenminste wat meer kunnen zien dan hierbeneden.

Nog geen halve minuut later stond hij boven. Vanuit de lucht zag het er allemaal heel klein uit, maar van dichtbij maakte het meer indruk. Zoiets had hij niet verwacht in het midden van een oerwoud. Geen wonder dat de rivier er zo troebel van werd!

9

Drie reusachtige schuiten lagen naast elkaar voor anker. Elk vaartuig had een groot dak van golfplaten waaronder zware motoren draaiden. Het lawaai moest tot heel ver hoorbaar zijn.

Aan de voorkant van de schuiten doken zwarte pijpen als dikke anaconda's het water in. Die werden op de bodem van de rivier bediend door duikers. Aan de andere kant werden elke seconde tientallen liters water weer het water in gespoten. Marijn had nu wel door waarom het water van de rivier zo troebel was.

Er werden tonnen water en zand opgezogen, gefilterd en weer in de rivier geloosd. Het kon moeilijk anders dan dat de verdere loop van de Rio Tapajos tot aan de monding in de Amazone al zijn helderheid had verloren. En dat allemaal om een paar goudkorreltjes die op de rivierbodem verspreid lagen, naar boven te halen. Om de ene rijkdom te bemachtigen werd een andere rijkdom vernietigd. Want het was de natuur die de prijs moest betalen. Om het goudzand nog sneller en gemakkelijker van de rest te kunnen afscheiden, aarzelden de goudzoekers niet om de natuur en de mensen die van de stroom leefden, te vergiftigen.

Marijn greep de verrekijker die om zijn hals hing, zodat hij beter kon zien wat de garimpeiros aan het doen waren. Hij zag twee mannen die iets blinkends in een grote schaal met slijk goten. Die glanzende vloeistof was waarschijnlijk kwikzilver, een erg giftige stof. Wie die dampen inademde of de vloeistof op een andere manier in zijn lichaam kreeg, werd erg ziek. Dat had zijn vader hem gisteren uitgelegd. Daar trokken de goudzoekers zich echter helemaal niets van aan. Ze namen zelfs geen voorzorgen om zichzelf te beschermen.

Het enige wat voor hen van belang was, was dat het kwik zich snel verbond met het goudzand dat in het slijk zat. Daarna was het een fluitje van een cent om de rest van de modder in de rivier weg te gieten en het overtollige kwik zo veel mogelijk op te vangen. Wat overbleef, was de verbinding van kwik en goud. Om het goud van het kwik te scheiden werd een gasbrander gebruikt.

Marijn zag door zijn verrekijker hoe een van de mannen een brander aanstak en de vlam op de inhoud van de schaal richtte. Geen van beiden deed ook maar enige moeite om de dampen te ontwijken. Uiteindelijk bleef er alleen nog een klein hoopje goud over. Het resultaat van heel veel werk en heel veel vernietiging van de natuur. Al het kwik dat op die manier in het water terechtkwam, werd opgenomen door de wezens die in de rivier leefden. De planten, de dolfijnen, de vissen en de mensen die ervan leefden, kregen het vergif binnen zonder het ooit weer kwijt te raken ...

Toen Marijn zijn verrekijker losliet, zag hij een kleine honderd meter verder in de rivier het water opspatten. Op die plaats hadden de goudzoekers netten in de rivier gezet om vis te vangen. Er leek echter iets groots in terechtgekomen te zijn.

De jongen pakte opnieuw zijn verrekijker, richtte die op het net en stelde scherp. Hij was benieuwd welke vis in het net verzeild was. Dat moest een groot dier zijn ...

Hoe langer hij keek, hoe duidelijker hij zag dat het geen vis was. Het leek eerder een dolfijn, al was het dier daar dan weer te klein voor. Toen wist Marijn opeens wat het was. Zonder na te denken stormde de jongen het heuveltje af. Hij moest zo snel mogelijk ingrijpen. Anders was het te laat.

Ondertussen hadden de goudzoekers ook door dat er iets in hun netten terecht was gekomen. Maar pas toen ze de jongen ernaartoe zagen rennen, veerden ze op en snelden ze op hun beurt naar de oever.

De jongen bereikte het net als eerste en met zijn kleren aan rende hij het water in. Hij had zich niet vergist, zag hij. Er was een dolfijnenjong in het net verstrikt geraakt. Het had zichzelf er helemaal in vastgedraaid en dreigde te stikken. Marijn zag nu ook de moeder, die vruchteloos probeerde in te grijpen.

Marijn trok zijn duikmes uit de schede om het net los te snijden. Maar net toen hij daarmee wilde beginnen, werd het mes ruw uit zijn hand gerukt. De jongen draaide zich om en zag achter zich drie mannen staan.

'Wat denk je wel dat je aan het doen bent!' riep de man die het mes had afgepakt in gebroken Engels. 'Dat kost mij honderdvijftig dollar!'

'Dat betaal ik je dan wel terug,' beet Marijn hem in het Spaans toe. 'Geef me mijn mes!'

'Eerst betalen!' riep de man.

Maar de jongen had natuurlijk niet zo veel geld bij zich. Hij had dan ook geen andere keuze dan het dolfijntje met zijn handen uit het net proberen te halen.

Hij nam het dier vast en hield het boven water. Dan kon het tenminste nog wat ademen. Maar daardoor raakte de moeder in paniek. Ze zag haar kleintje niet meer en raasde op haar beurt de netten in.

In geen tijd zat ook zij gevangen. Het water spetterde hoog op. Marijn, die zijn handen vol had met het kleintje, wist niet wat hij moest doen. Het kalfje loslaten en de moeder proberen te redden? Maar dat was onbegonnen werk. Bovendien dreigde het kalfje dan te verdrinken.

De toestand ging snel van kwaad tot erger. En er kwamen steeds meer mensen toegelopen. Niemand deed echter iets om de twee dolfijnen te helpen redden. Waren ze bang of gewoon onverschillig? Marijn zou het antwoord snel krijgen.

Uit de groep toeschouwers kwam een man met een grote bijl aangestormd. Hij had het duidelijk niet op de netten gemunt, maar op de grote dolfijn, die de netten kapot dreigde te maken.

'Nee!' riep Marijn.

De jongen liet het kleine dolfijntje vallen en stortte zich op de man. Beiden vielen voorover in het water. De man brieste van woede en pakte Marijn vast. Precies op dat moment weerklonk een geweerschot ...

Iedereen verstijfde en keek in de richting waar het geluid vandaan kwam. Op nog geen vijftig meter van de kant naderde de Alexander Snybolov. Op de boeg stond professor Jansen met de karabijn in de hand.

De man liet Marijn meteen los. Onmiddellijk kroop de jongen overeind, hij rende naar het kleine dolfijntje en trok het weer boven water. Maar waar was de moeder?

Tweehonderd meter verder, vlak bij de schuit die het dichtst bij de kant lag, kwam een duiker boven water. De man had bijna een uur onder water gezeten en wist niet wat er gaande was.

'Wat is er aan de hand?' vroeg hij toen hij zijn baas naar de schermutseling zag kijken.

'Ik hoop dat ik me vergis, Ramon,' antwoordde die, 'maar ik vrees dat we opnieuw ongewenst bezoek hebben.'

De duiker trok zijn masker af om beter te kunnen zien. Onmiddellijk riep hij: 'Ik ken dat schip!'

En nadat hij de verrekijker van zijn baas had gepakt, zei hij: 'En die man vooraan bij de boeg ken ik ook! En dat jonge kereltje daar aan de kant ken ik zeker! Met die twee heb ik nog een rekening te vereffenen!'

10

Vlak bij Ilha do Patacho, woensdag 31 december, even voor zonsondergang

'We zijn er bijna. Nog even wachten met dat anker. Ja, nu!'

Met een grote plons werd het anker losgelaten. De ketting ratelde, terwijl de twee schroeven van het schip bleven draaien. Zolang het anker de bodem niet had bereikt, moest de Alexander Snybolov zo veel mogelijk ter plaatse zien te blijven.

'Ja, we zijn er,' riep de kapitein. 'Als we nu voldoende lijn vieren, komen we vlak boven de geul tot stilstand.'

En om die geul was het hun te doen. De expeditie had een van de diepste punten van de Amazone bereikt. Bijna negentig meter diep was het hier. Wetenschappers hadden er geen idee van of er daarbeneden nog leven mogelijk was. De enige manier om dat te onderzoeken, was duiken tot op die diepte.

Vooraan bij de boeg stond Marijn. Als hij Don Otorino mocht geloven, bevonden ze zich hier bij een van de toegangen tot de Encante. Toen de indiaan had vernomen dat ze vannacht naar het diepste punt van de Amazone zouden duiken, had hij het hun onmiddellijk afgeraden. Veel te gevaarlijk, had hij gezegd. Voor een deel had hij gelijk, want dieper dan veertig meter duiken werd meestal afgeraden omdat het zo gevaarlijk was.

'Als jullie daarheen gaan, komen jullie nooit meer terug!' had hij gezegd. 'De Encantados zullen jullie niet meer loslaten.'

Professor Jansen en Jason hadden eens geglimlacht, maar er verder geen geloof aan gehecht. Marijn twijfelde wel. Sinds het voorval met de goudzoekers dacht hij er anders over. Hij zat met zijn gedachten nog steeds bij de dolfijnenmoeder. Ondanks hun verwoede pogingen hadden hij en zijn vader het dier niet kunnen redden. Het had zich zodanig vastgewerkt in de netten dat het gestikt was. Het kalfje had meer geluk. Na lang zwoegen hadden ze het uiteindelijk losgekregen. Maar ondertussen had het kleintje geen moeder meer, en op zichzelf kon het dier onmogelijk overleven.

Professor Jansen had dan maar besloten de dolfijn mee te nemen en een oplossing te zoeken. Gelukkig was die snel gevonden, want de zoo van Duisburg in Duitsland wilde zich onmiddellijk over het kleintje ontfermen. De dierentuin was de enige in Europa waar rivierdolfijnen zaten en waar ze dus ook de ervaring hadden om het dolfijntje te verzorgen.

Gisteren was er iemand van de zoo speciaal naar Santarem gekomen om het beestje op te halen. De moeite die Marijn en zijn vader zich hadden getroost om het kalfje te redden en in leven te houden, was dan toch niet voor niets geweest.

Ondanks alles voelde Marijn zich nog steeds triest. Op de beelden die Jason tijdens hun allereerste duik met de moederdolfijn en haar kalfje had genomen, hadden ze duidelijk gezien dat het om dezelfde dieren ging. Wat kon het lot toch hard toeslaan! De dolfijnenmoeder had haar kleintje zo graag willen redden, maar uiteindelijk was ze er zelf het slachtoffer van geworden. En daardoor bleef het kalfje nu alleen over. Marijn herkende de hele situatie bijzonder goed. Precies daarom voelde hij zich ook zo rot.

'Kom je mee de duikapparatuur klaarmaken?' vroeg Jason. 'Straks valt de avond en zien we minder goed. Bovendien moeten we nog een hele reeks voorzorgsmaatregelen treffen.'

Marijn knikte, maar met tegenzin. In normale omstandigheden zou hij halsreikend uitkijken naar de duik, maar nu had hij er eigenlijk weinig zin in. Wat zouden ze daarbeneden vinden? Veel stroming, slijk en met een beetje geluk een of ander visje? Als deze plek inderdaad een toegang tot de Encante was, zoals Don Otorino stellig beweerde, dan zou Marijn niet kunnen wachten om onder water op ontdekking uit te gaan. Zelfs als dat gevaarlijk was. Maar ook al wilde hij het verhaal van Don Otorino maar al te graag geloven, hij twijfelde eraan of het echt was. Het was gewoon veel te mooi om waar te zijn.

'Wel, Marijn, komt er nog wat van?' Deze keer was het zijn vader die riep.

De jongen verliet de boeg en liep naar de achtersteven. Het schip had zich met zijn achterkant naar de ondergaande zon gericht. Rechts van Marijn strekte zich het eiland Patacho uit. Een stuk land van vijf kilometer breed dat bijna in het midden van de Amazone lag. Ter hoogte van het eiland bevond zich een diepe geul, die op de kaart aangeduid was als de diepste plaats van de Amazone. Omdat er overdag heel veel schepen voorbijvoeren, konden ze hier alleen 's avonds aanleggen. Dan viel het scheepvaartverkeer bijna helemaal stil.

Toen Marijn de achtersteven bereikte, had Jason de speciale duikapparatuur al uitgepakt. Met gewone apparatuur, die met geperste lucht was gevuld, kon je alleen maar veilig duiken tot veertig meter. Ging je daarmee dieper, dan liep je het risico dat de stikstof die in die lucht zat, giftig werd. En dat kon zware gevolgen hebben. Om dat te vermijden moest apparatuur gebruikt worden met aparte gasflessen, de zogenaamde rebreathers. Daarbij werd de uitgeademde lucht niet alleen opnieuw gebruikt, maar kon de samenstelling van het gasmengsel ook voortdurend aangepast worden aan de diepte. De apparatuur was niet alleen heel ingewikkeld in gebruik, ook de voorbereiding om de flessen gebruiksklaar te maken vergde veel werk.

Pas een uur later waren ze helemaal klaar en kon de volgende stap gezet worden. De lijn, die Jason samen met enkele leden van de bemanning klaargemaakt had, kon in het water gelaten worden. Die zou niet alleen als gids dienen tijdens het afdalen en opstijgen, er zouden ook apparaten aan vastgemaakt worden.

Helemaal aan het uiteinde van de lijn hing een blok lood van meer dan tien kilo. Die ging als eerste overboord. Enkele meters verder was een lus waaraan een volle netzak bevestigd werd. Een meter verder hingen een sterke lamp en een videocamera die allebei door een kabel met de oppervlakte verbonden waren.

De lijn werd gevierd totdat het gewicht de bodem bereikte. En om de lijn strak te houden werd alles een kleine meter naar boven getrokken en dan stevig aan het schip vastgemaakt.

'We zullen eerst met de camera eens kijken of er daarbeneden enige vorm van leven is,' zei professor Jansen.

'Ja,' zei Jason, 'dan weten we of het wel de moeite loont om zo diep af te dalen.'

De toegang tot de Encante zullen we vast niet zien, dacht Marijn in zichzelf.

De twee kabels die samen met de lijn uit het water kwamen, werden verder afgerold tot in het kleine laboratorium van het schip. De videokabel werd met een monitor verbonden, de lichtkabel in het stopcontact gestoken. Het ogenblik daarop sprong het scherm aan.

Ondanks het licht van de lamp zag het water er toch nog behoorlijk troebel uit. Gelukkig konden ze de netzak, die maar een meter onder de camera hing, nog duidelijk onderscheiden. In die zak bevond zich het karkas van een grote vis die enkele bemanningsleden in de loop van de dag gevangen hadden. Professor Jansen hoopte met dit aas mogelijke bewoners van de diepte tot vlak bij de camera te lokken. Voorlopig gebeurde er echter niets ...

Wie gehoopt had roze dolfijnen of bewoners van de Encante te zien verschijnen, kwam bedrogen uit. Don Otorino, die zich samen met de anderen voor de monitor verdrong, kon zijn ontgoocheling met moeite verbergen. Ook de vader van Marijn keek teleurgesteld, want ook hij had iets totaal anders verwacht.

De minuten verstreken. Terwijl er op het scherm nauwelijks meer bewoog dan op een testbeeld, lichtte de horizon op verschillende plaatsen regelmatig op. Pas toen een licht gerommel hoorbaar werd, besefte iedereen aan boord wat er hun te wachten stond. Er kwam een zwaar onweer aan. En als dat gebeurde, konden ze de diepe duik helemaal vergeten ...

11

Uren later

De regen viel nog steeds met bakken uit de hemel, zoals dat in de tropen zo vaak gebeurt. Bliksemschichten wedijverden met elkaar en donderslagen volgden elkaar in snel tempo op.

Een beetje bedrukt zat professor Jansen nog altijd naar de monitor te kijken. Alle anderen hadden het allang opgegeven en probeerden zich nu met iets anders bezig te houden. Het zag ernaar uit dat oudejaarsavond helemaal niet aan de hooggespannen verwachtingen zou voldoen. Daar hadden de bewoners van de diepten van de Amazone, als ze al bestonden, en het vreselijke onweer een stokje voor gestoken.

'Ik denk dat ik een verklaring heb waarom er op dit scherm niets te zien is,' riep Jason lachend toen hij voor de zoveelste keer zijn hoofd in het laboratorium binnenstak. 'Waarom zouden die beesten zo diep duiken als ze met al die regen gewoon door de lucht kunnen zwemmen?'

'Groot gelijk,' riep de professor. 'Zodra je ze door de lucht ziet vliegen, moet je me maar roepen!'

'Zal ik doen, professor,' antwoordde de zwarte man lachend.

Hij had zijn hoofd nog maar net teruggetrokken toen hij opeens een kreet hoorde.

'Jason!' riep de professor. 'Kom kijken!'

Op het scherm kwam opeens een grote, lange vis aangezwommen. Met tanden die leken op een cirkelzaag boorde hij zonder enige moeite een opening in de netzak. En daarna in de dode vis die erin zat.

'Welk beest is dat?' vroeg Jason vol ontzag.

'Ik denk dat het een candiru acu is. Een echte aaseter. Jason, dat is echt de moeite. Roep snel de anderen!'

Terwijl de rest van de opvarenden zich voor het scherm verdrong, was de candiru acu al verdwenen in het lichaam van de dode vis. Maar zijn voorbeeld kreeg navolging. Twee nieuwe meervallen verschenen op het toneel en probeerden op hun beurt in de grote vis binnen te komen.

'Wordt die vis nu van binnenuit opgegeten?' vroeg Marijn.

'Ja, zo gaan alle candiru's te werk,' antwoordde zijn vader.

'Lugubere beesten, als je het mij vraagt!' was de reactie van Jason.

'En toch denk ik dat we ze vannacht van dichtbij zullen kunnen zien,' riep professor Jansen. 'Kijk maar eens naar buiten. Ik heb de indruk dat het onweer eindelijk voorbij is.'

De professor had gelijk. Hoewel het nog steeds bliksemde en donderde, vielen er alsmaar minder druppels uit de donkere hemel.

'Komaan, jongens,' riep professor Jansen, 'alle hens aan dek. We maken ons klaar om te duiken!'

Een halfuur later

Drie duikers stonden in een rij op het achterdek. Nadat ze een laatste keer hun apparatuur gecontroleerd hadden, waren ze klaar om in het water te springen.

Net voordat hij de ademhalingsslang naar zijn mond wilde brengen, kon Jason toch niet nalaten nog een vraag te stellen.

'Professor, ben jij er wel zeker van dat die candiru acu's wel degelijk aaseters zijn? Ik zou niet graag hebben dat ze een gat door mijn duikpak en mijn vel boren om mij van binnenuit op te eten. Ik vind het daar echt nog te vroeg voor.'

'Je hoeft daar helemaal niet bang voor te zijn,' riep professor Jansen lachend. 'Als je er zorg voor draagt dat je geen wondje oploopt of begint te bloeden, zullen die vissen jou met rust laten.'

'Ik hoop dat je gelijk hebt!'

'Absoluut. Ik ben ervan overtuigd dat het een onvergetelijke duik zal worden. Niet alleen door de diepte, maar ook door het moment. Of was je al vergeten dat we pas volgend jaar weer boven water zullen komen. Over een halfuur is het immers middernacht!'

Het duurde even voor Jason het doorhad, maar Marijn besefte het meteen. Vorig jaar op precies hetzelfde moment had hij samen met Talitha ook een nieuwjaarsduik gemaakt.* En die was zalig geëindigd.

Veel tijd om van die gedachte te genieten kreeg de jongen niet. Zijn vader ging tot de actie over.

'Klaar om te springen? Nu!'

De professor sprong als eerste in het water, gevolgd door Jason met de filmcamera en Marijn met het fototoestel.

Zoals afgesproken, lieten ze zich eerst enkele meters met de stroming meevoeren tot aan de lijn. Op het teken van de professor doken ze daar samen onder. In het licht van hun lampen zag het water er nogal roodachtig uit. Maar ver konden ze toch niet kijken. Het zicht was net voldoende om elkaar en de lijn in het oog te houden. De afdaling naar vijfentachtig meter diepte was begonnen.

Met kloppend hart vroeg Marijn zich af of ze naast die candiru acu's nog iets anders zouden zien. Maar het ogenblik daarop moest hij alweer aan Talitha denken. Waarom moest zijn vader daar nu over beginnen!

Na een afdaling die veel langer leek dan ze in werkelijkheid was, zagen ze in de diepte licht in de duisternis. Ze hadden eindelijk de sterke lamp bereikt die van bovenuit werd gevoed. Straks zouden ze de bijbehorende camera te zien krijgen en daarna de zak met vis.

* *Zie 'Red de dolfijnen!'*

Het drietal remde even af en vormde een kring rond de lijn. Heel voorzichtig zakten ze tot op de hoogte van de zak. De andere expeditieleden die bij de monitor zaten, zouden hen nu ook te zien krijgen. Maar hoe zouden de candiru acu's reageren?

De grote vis die in de zak zat, vertoonde verschillende gaten en leek tot leven te komen. Hij bewoog naar alle kanten door de vele meervallen die hem van binnenuit aan het opeten waren.

Jason en Marijn filmden en fotografeerden meteen het schouwspel. Het was schitterend reportagemateriaal. Hun tijd op deze diepte was echter heel beperkt. Hoe langer ze hier bleven, hoe langer ze onderweg zouden moeten wachten.

Na enkele minuten, die deze keer veel korter leken dan in werkelijkheid, gaf professor Jansen het teken om op te stijgen. Marijn was de laatste die vertrok.

Precies op dat moment gebeurde er iets vreemds. Alsof de candiru acu's beseften dat er nog iets veel groters was om aan te knabbelen, kwamen ze opeens van alle kanen uit het lijf van de vis tevoorschijn. Ze zwommen in de richting van Marijn en vielen hem in groep aan. De jongen wilde zich verweren, maar had geen schijn van kans. Toen hij naar boven keek voor hulp, zag hij de anderen al niet meer. Marijn stond er helemaal alleen voor.

Net toen hij de eerste pijn voelde, zag hij in het licht van de schijnwerper iets bleeks bewegen. Het kwam recht naar hem toe, gevolgd door enkele andere schimmen. Het waren rivierdolfijnen, die hem blijkbaar te hulp snelden. De ene meerval na de andere werd door de dolfijnen aangevallen en in stukken gebeten. Totdat de laatste er uiteindelijk vandoor gingen.

Daarna werd alles om hem heen donker. In het tumult had Marijn zijn duiklamp verloren en de schijnwerper met de lijn was ook niet meer te zien. Toen voelde hij hoe hij vastgegrepen en meegesleurd werd.

Dat konden alleen maar de dolfijnen zijn, en daarom verzette hij zich niet. Maar waar brachten ze hem heen? Het ging veel te snel!

Een paar tellen later zag hij in de verte opnieuw een beetje licht. Het was net alsof hij uit een lange, donkere tunnel omhoogkwam. Toen de omgeving klaarder werd, zag hij overal om zich heen roze dolfijnen. Die stuwden hem naar het licht dat alsmaar dichterbij kwam.

En ja, eindelijk zag hij het wateroppervlak glinsteren. Maar hoe was het mogelijk dat de zon alweer scheen?

Kort daarop brak hij door de waterspiegel. Marijn bevond zich in vol daglicht aan de oever van een stroompje. Een prachtige natuur strekte zich aan alle kanten uit. Het landschap leek op een schitterend aangelegde tuin die overging in een maagdelijk oerwoud. Voor hem lag een grote plas, die omringd was door grillige rotsen. Boven hem fladderden duizenden fluorescerende vlinders. Het water kwam van een klaterende waterval, die omringd werd door een prachtige regenboog. De kleuren trilden als de snaren van een zonneharp die de mooiste klanken voortbracht. Muziek waarop je meteen zou willen dansen ...

Marijn was sprakeloos. In welke wereld was hij terechtgekomen? Het zag er allemaal zo onwerkelijk uit. Hij draaide zich om naar de dolfijnen die hem hiernaartoe hadden gebracht, alsof zij hem een antwoord konden geven. Maar de enige reactie die hij kreeg, was een vriendelijke glimlach. De jongen zou het antwoord zelf moeten vinden.

Opnieuw richtte Marijn zijn blik op de waterval. Hij had de indruk dat er iemand doorheen de muur van water tevoorschijn wilde komen. Eerst was die figuur niet erg duidelijk, maar daarna kon Marijn een meisje onderscheiden.

Even twijfelde hij, maar toen herkende hij haar en zijn hart ging als een razende tekeer. Het meisje was niemand anders dan Talitha.

Traag stapte ze door het ondiepe water naar hem toe. Op een afstandje bleef ze staan en sprak ze de jongen aan.

'Marijn, dit is de wereld waarin ik nu leef. Ik heb het heel goed. De dolfijnen zijn mijn vrienden en ze zorgen voor mij. Als je wilt, mag je komen, maar ...'

Terwijl hij wilde opstaan om naar haar toe te lopen, werd Marijn door de aanzwellende stroming vastgegrepen en meegesleurd. In een paar seconden werd hij mee onder water getrokken. Gelukkig had hij zijn masker nog op en kon hij de ademhalingsslang snel weer in zijn mond steken.

Het glinsterende oppervlak werd alsmaar kleiner. Het was alsof Marijn weer naar de diepte en het donker werd gezogen. Nadat hij nog een poos door het water gleed, kwam hij weer tot stilstand.

Het ogenblik daarop voelde Marijn dat hij aan een lijn vasthing. Of beter, vastgehangen werd. Waren dat de dolfijnen?

Toen schoot er een lamp aan en in het licht herkende hij zijn vader en Jason. Die zagen ze er erg opgelucht uit. Wat was er gebeurd?

12

Aan de samenvloeiing van de Amazone en de Rio Negro, zaterdag 3 januari, even voor de middag

Het water was behoorlijk helder, stelde Marijn verbaasd vast. Hij kon bijna acht meter ver kijken. Vanuit de lucht zag de rivier er bijna zwart uit, maar onder water viel het best mee en was het water helder genoeg om de wervelende bewegingen van grote scholen vissen te kunnen volgen.

Toch doemden er in de verte geelgroene wolken op, waarin de vissen een voor een verdwenen. Een heel eind verder kwamen ze dan opeens weer tevoorschijn. Zo'n bijzonder onderwaterlandschap had Marijn nog nooit gezien. Het deed hem denken aan de duiken die hij een jaar geleden in de Sargassozee had gemaakt.* Daar had je ook dat vreemde clair-obscureffect, hoewel dit schouwspel heel anders was. Het was mooi om te zien, maar Marijn raakte er toch snel op uitgekeken.

De jongen besloot weer omhoog te gaan en vlak bij de rode boei die hij al de hele tijd met zich meetrok, kwam hij boven. Hij blies op zijn fluitje en vormde met beide armen het OK-teken. Onmiddellijk kwam de Alexander Snybolov naar hem toe gevaren om hem op te pikken.

'Wat een vreemde ervaring!' riep hij enthousiast toen hij aan boord klom. 'Duiken waar twee rivieren met totaal verschillend water in elkaar vloeien. Dat had ik nog nooit gedaan.'

Op hun tocht stroomopwaarts hadden ze gisterochtend vastgesteld dat de linkerkant van de Amazone nog steeds groengeel gekleurd was, maar de andere kant was ondertussen zwart geworden. Tachtig kilome-

* *Zie 'Verdwenen in de Sargassozee'*

ter verder, voor ze de grootstad Manaus bereikten, kwamen ze aan de samenvloeiing van de Amazone en de Rio Negro. Het slijkwater van de Amazone vloeide hier samen met zwart water dat nauwelijks nog voedingsstoffen bevatte en bijna levenloos was. Daarom was het water van de Rio Negro ook zo helder. Vanuit de lucht leek het op melk en koffie die zich maar niet wilden vermengen.

Terwijl Marijn zich omkleedde, werd het anker gelicht en voer de Alexander Snybolov weer verder. Het schip zou een kort eindje de Rio Negro opvaren tot aan Manaus, de grootste stad aan de Amazone. Daar zouden ze de rest van de dag aanleggen om voorraden in te slaan.

Morgen zouden ze opnieuw de Amazone opvaren en dan stond hun niets meer in de weg om hun lange tocht in westelijke richting verder te zetten. Uiteindelijk zouden ze aankomen in Iquitos, die andere grootstad aan de Amazone. De stad lag niet meer in Brazilië, maar in Peru. Maar zover was het nog niet.

Marijn haastte zich naar de voorsteven. Daar zou hij het komende uur weer de stroom in het oog houden en de stuurman waarschuwen voor drijvende boomstammen. Gelukkig gebeurde dat maar enkele keren per dag. Ondertussen had hij genoeg tijd om het mooie landschap te bewonderen. En te mijmeren over wat hij de voorbije dagen had meegemaakt.

De duik van vanochtend was de eerste sinds oudejaarsavond. Marijn had toen ongelooflijk veel geluk gehad. Zijn apparatuur was spiksplinternieuw en nog geen jaar op de markt. Toch was dat misschien de reden waarom er iets misgegaan was. In elk geval had hij precies gedaan wat de handleiding had voorgeschreven en wat ze hem hadden geleerd. Als zijn vader of Jason het toestel gebruikt hadden, dan zouden zij het slachtoffer geworden zijn en niet hij.

Gelukkig was Jason erin geslaagd Marijn snel vast te pakken en mee naar boven te nemen, anders was de jongen er niet meer. De minuscule computer die de toevoer van stikstof had moeten regelen, had een foutje gemaakt. Dat had grote gevolgen kunnen hebben. Zonder dat hij het besefte, was Marijn onder invloed van de stikstof gekomen, de beruchte roes der diepten. Net zoals bij LSD kon je dan heel vreemde visioenen krijgen en wist je niet meer wat je deed. Een uitermate gevaarlijk situatie onder water natuurlijk. Vooral op grote diepte.

Gelukkig had Marijn geen enkel moment zijn luchtslang verloren. Anders was hij er zeker geweest. Door op te stijgen was de narcose langzaamaan verminderd. Totdat Marijn uiteindelijk weer besefte dat hij nog steeds onder water zat. Tot grote opluchting van de twee anderen natuurlijk.

Dat was alleszins de wetenschappelijke verklaring die zijn vader hem achteraf had gegeven voor wat er was misgegaan. Marijn had hem graag over de dolfijnen en Talitha verteld, maar hij wist dat dat zinloos was. De nuchtere wetenschapper zou dat als kletspraat van de hand hebben gewezen. Professor Jansen zou het zeker beschouwen als een visioen onder invloed van een verdovend middel. In dit geval een te grote hoeveelheid stikstof in de hersenen!

De enige aan wie de jongen zijn verhaal had durven toevertrouwen, was Don Otorino. En de indiaan was daar heel opgetogen over geweest. Zowel met het vertrouwen dat Marijn in hem stelde, als met het verhaal op zich. Zoals de jongen had verwacht, was de man er ten stelligste van overtuigd dat Marijn toegang had gekregen tot de Encante. De beschrijvingen van de jongen kwamen overeen met alles wat de indiaan daarover wist.

Don Otorino kwam tot de conclusie dat Marijn een heel speciale persoon moest zijn om de Encante te mogen bezoeken en dan weer te kunnen vertrekken. Wie daar kwam, moest er normaal voor altijd blijven. De jongen moest een uitzonderlijke band hebben met boto's dat ze zoiets toestonden!

Wat Marijn vooral interesseerde, was wat Don Otorino te zeggen had over het lot van Talitha. Dat was immers de ware reden waarom hij de indiaan alles had verteld. Wat dacht hij daarover?

Het antwoord was heel eenvoudig. Volgens de curandeiro leefde het meisje nog, maar zat ze wel vast in de Encante zonder dat ze het zelf besefte. Zoals alle andere mensen die daar terechtkwamen, voelde ze zich daar heel gelukkig. Er was voor haar dan ook geen noodzaak om aan die wereld te ontsnappen, integendeel.

'Is er dan echt geen middel om haar terug te krijgen?' had Marijn gevraagd.

'Eigenlijk niet,' had de man gezegd, 'want wie daar aankomt, blijft daar voor altijd!'

Marijn kon natuurlijk nog eens proberen om de Encante te bereiken, maar het was de vraag of de boto's zouden toestaan dat hij nogmaals zou weggaan en bovendien ook nog iemand zou meenemen.

Sindsdien voelde Marijn zich als Orpheus, die zijn Eurydice uit de onderwereld los wilde krijgen. Hij bleef maar tobben over wat Don Otorino hem had verteld. Dat kwam trouwens perfect overeen met wat je van een sjamaan mocht verwachten. Talitha leefde nog, maar zat vast in een andere wereld ...

Marijn wilde het maar al te graag geloven, maar vond het veel te mooi om maar waar te zijn. Anderzijds kon hij zich er niet bij neerleggen dat het maar een droom was, zoals zijn vader zei. Wat hij tijdens die duik had meegemaakt, voelde zo echt aan dat het geen bedrog kon zijn.

Tenzij alles wat hij had meegemaakt een bijna-doodervaring was. Een bijna-doodervaring waarbij hij tot tweemaal toe door een tunnel met dat licht was gegaan. Marijn kreeg het ijskoud ondanks de tropische hitte. Dat zou betekenen dat hij helemaal op het einde van de tunnel terechtgekomen was in een prachtige omgeving die het paradijs of de hemel hadden kunnen zijn. En daar had hij iemand ontmoet van wie hij dacht dat ze overleden was, ook al hoopte hij nog steeds van niet.

13

Op de Rio Amazonas, dinsdag 6 januari, in de late middag

Het hield maar niet op met regenen. Voor degene die vooraan bij de boeg zat, was het geen gemakkelijk karwei om op tijd de ronddrijvende boomstammen te zien. De regen vormde immers een dicht gordijn dat het zicht tot enkele tientallen meters beperkte.

Toch vond Marijn dit de beste plek die hij in de gegeven omstandigheden had kunnen kiezen. Ook al liepen de regendruppels ondanks zijn jas langs zijn rug naar beneden, hij had geen andere plaats willen innemen.

Voor de zoveelste keer dacht Marijn aan de woorden die Don Otorino bij zijn afscheid had uitgesproken. Vorige zaterdag was de man in Manaus van boord gegaan.

'De Amazone vloeit voorbij en ook de mens gaat voorbij. Alleen het woud blijft waar het is,' had de indiaan toen gezegd.

Een mooiere manier om het verloop van de tijd tegenover de eeuwigheid uit te drukken had de sjamaan niet kunnen vinden, vond Marijn. De jongen had de voorbije dagen veel aan de woorden van de indiaan gedacht. Ze hadden niet alleen troost gebracht, ze bevatten ook veel waarheid. Dat besefte Marijn telkens opnieuw. Vandaag was het exact een jaar geleden dat Marijn halsoverkop Long Island had verlaten om naar Japan te vertrekken. Hij had toen geen kans gekregen om afscheid te nemen van Talitha.* Sinds die dag was hun relatie bergaf gegaan ...

Tijdens de drie weken die hij in Japan doorbracht, had hij het zo

* *Zie 'Red de dolfijnen!'*

druk met het redden van de dolfijnen dat hij nauwelijks aan haar gedacht had. Ook tijdens de anderhalve week die daarop volgde, toen hij in Florida en de Dominicaanse Republiek zat, had hij geen tijd gehad om contact met haar op te nemen.

Pas toen hij half februari weer thuis was,* besefte hij dat hij in de fout was gegaan. Maar het kwaad was al geschied. Talitha was koel en afstandelijk geworden. Ze had hem die onverwachte en langdurige afwezigheid erg kwalijk genomen. Het was niet bij Marijn opgekomen dat er iets anders aan de hand was. Dat ze zwanger was. Anders was hij zeker niet naar Florida vertrokken om de dolfijnen te helpen bevrijden.

Talitha was er niet blij mee dat hij daarna weer vier maanden weg was. Waarom had ze anders zijn brieven niet beantwoord? Marijn begreep niet wat er tussen hen in was gekomen, maar hij had beter moeten weten.

Toen hij eind juni terugkeerde naar Long Island,** was hij vastbesloten om het goed te maken. Maar die kans had hij niet gekregen. Talitha was op haar beurt vertrokken. Haar vader was uit het niets opgedoken om haar te komen ophalen. Twee maanden lang vernam hij niets van haar. Tot hij eind augustus de kans kreeg om mee te werken aan opgravingen in de Andes.

Onmogelijk had hij kunnen vermoeden dat Talitha en hij het slachtoffer zouden worden van een duivels plan. Heel even zag hij haar terug, maar dat was niet lang genoeg om te zien in welke toestand ze verkeerde. Daarna verdween ze definitief uit zijn leven. Haar spoor liep dood op een indiaanse begraafplaats in het regenwoud van Ecuador.

Meer dan ooit besefte de jongen dat hij nooit naar Japan had mogen vertrekken. Die reis had op geen slechter moment kunnen komen. Net toen Talitha hem het meest nodig had, had hij haar in de steek gelaten, al werd dat pas veel later duidelijk. Toen was het echter al te laat. Het onheil was geschied.

* *Zie 'Dolfijnen vrij!'*
** *Zie 'Offer in de Andes'*

Terwijl Marijn overmand werd door droevige gedachten, bleef de regen met bakken uit de lucht vallen. Het regenseizoen was ook in deze streken definitief begonnen. De machtige Amazone en de vele bijrivieren zouden aanzwellen en het niveau van het water zou stijgen. Een groot deel van het regenwoud zou binnenkort onder water komen te staan doordat de rivieren uit hun oevers traden.

Daardoor kon de Alexander Snybolov verder richting Ecuador blijven varen. Het schip zou het land tot op tweehonderd kilometer naderen, maar het zou de grenzen nooit bereiken. Ondanks het stijgende water zouden de rivieren die daarheen leidden te ondiep worden. Dat wist Marijn al voor ze op Long Island waren vertrokken. Hoe dicht hij ook bij Ecuador zou komen, een kleine uitstap naar de begraafplaats in het regenwoud zou er tijdens deze expeditie niet in zitten.

Precies op hetzelfde moment, meer dan duizend kilometer terug in oostelijke richting

De donderwolken kwamen alsmaar dichterbij. In de westelijke hemel knetterde een bliksemschicht. Een ladder van energie die heel eventjes het land, de lucht en het water met elkaar verbond, verbleekte de hemel. En toen vielen de eerste dikke druppels naar beneden.

Ramon Bastos keek naar het naderende onweer. Er was geen twijfel meer: het droge seizoen was definitief voorbij. De komende maanden zou de Rio Tapajos veranderen in een woeste stroom, waarin geen enkele schuit, laat staan een duiker, het lang zou volhouden. Zijn job zat erop en hij rouwde er niet om dat hij hier pas in juni kon herbeginnen.

'Ik begrijp nog altijd niet waarom je niet gewoon met mij meekomt,' zei zijn baas, Augusto da Silva. 'In Ecuador kan nu grof geld worden verdiend. Of ben je misschien bang voor die koppensnellers?'

'Helemaal niet!' riep Bastos lachend. 'Die indianen boezemen mij geen angst meer in, zeker niet nadat ik dat krantenartikel van jou heb gelezen. Maar onderweg wil ik een oude rekening met iemand vereffenen. Daarna zie je me wel komen.'

'En dat kan echt geen andere keer?' vroeg Augusto. 'Ik kan je hulp anders goed gebruiken.'

Ramon schudde koppig zijn hoofd. Niemand kon hem nog op andere ideeën brengen. Zijn besluit stond al enkele weken vast. Hij zou in westelijke richting trekken, de Alexander Snybolov achterna. Vrienden uit Manaus hadden hem opgebeld en hem laten weten dat het schip de haven verlaten had en de Amazone verder opgevaren was. Morgen zou hij van Santarem naar Manaus vliegen om daarna door te vliegen naar Iquitos in Peru, waar hij nog andere vrienden had. Zonder dat de opvarenden van de Alexander Snybolov ook maar iets in de gaten hadden, zou hij hen blijven volgen. Om dan op het juiste moment te kunnen toeslaan.

14

Aan de samenvloeiing van de Rio Marañon, de Rio Ucayali en de Rio Yarapa, donderdag 15 januari, in de vroege avond

Axelle B'Kerr was een opmerkelijke verschijning! Met haar rode haren viel ze even hard op als een roze dolfijn tussen zijn grijze soortgenoten. Geen wonder dat de vrouw een hechte band had met de dieren, dacht Marijn toen hij haar zag.

Niet alleen het uiterlijk van de vrouw, maar ook de manier waarop ze zich voor dolfijnen inzette, was opmerkelijk. De voorbije week had professor Jansen zijn zoon verteld wat de Amerikaanse vrouw allemaal deed voor de roze rivierdolfijn. En dat was bijna onvoorstelbaar! Net zoals de bewoners van het Amazonegebied was ze ervan overtuigd dat de soort een van de meest merkwaardige dieren op de planeet was. Daarom moest de bufeo, zoals de roze dolfijn in Peru werd genoemd, op alle mogelijke manieren worden bestudeerd en beschermd. Axelle had er haar hele fortuin voor over, en dat was geen onaanzienlijk bedrag.

Een nobel doel, vond professor Jansen. Maar hij was het niet met al haar methodes eens. Daarom had hij zijn zoon voor haar gewaarschuwd. Toch voelde Marijn sympathie voor de vrouw, die zich zo hard inzette voor de dolfijnen.

'Wat schitterend dat jullie hierheen zijn gekomen!' riep Axelle enthousiast toen ze vanuit het platte schuitje aan boord van de Alexander Snybolov klom. 'De vermaarde dolfijnenspecialist professor Jansen, samen met zijn zoon! De jongen die onder water tussen dolfijnen is

Vaarroute A. Snybolov
Vliegroute van Marijn
Vaarroute van Marijn
Busroute van Marijn
Junglepad

Stille Oceaan
Esmeraldas
Colombia
Quito
Ecuador
ANDES
250 km
Tungurahua vulkaan
Macuma
Macas
Rio Tigre
Puerto Morona
Peru
Rio Morona
ANDES
Rio Pastaza
San Lorenzo
Puerto America
Rio Marañon

Waterval

Vliegtuig-
wrak

Dorpje van
Nunkui

Verwoest
dorp

Dorpje bij
samenvloeiing

Dorpje bij
hoefijzermeer

Rio
Putuime

Smalle
rivier

Rio
Entzacua

Amazone

Rio Morona

Pink
Dolphin
Center

Puerto
Morona

ilië

10 km

N
W
O
Z

geboren.* Ik ben zo blij dat jullie een bezoek willen brengen aan mijn centrum. Ik hoop dat jullie lang kunnen blijven!'

Ondanks de waarschuwingen van zijn vader was Marijn meteen gecharmeerd door het enthousiasme en de gastvrijheid van de vrouw. Hij had het gevoel dat hij het goed met haar zou kunnen vinden.

De voorbije weken had de jongen echter zonder veel enthousiasme naar de ontmoeting uitgekeken. De lange tocht door Brazilië naar de grens met Peru was algauw eentonig geworden. Vooral door alle regen die maar uit de lucht bleef vallen, de vochtige hitte en de onontkoombare insecten. Het enige spannende moment dat ze meegemaakt hadden, was het bezoek van een jaguar. Het dier was op een avond naar het schip gezwommen en aan boord geklommen. Gelukkig waren enkele bezems voldoende geweest om de reusachtige kat weer weg te krijgen.

Na het weekend waren ze Peru binnen gevaren. Gisterenmiddag hadden ze de haven van Iquitos aangedaan om zich opnieuw te bevoorraden. De Peruviaanse junglestad was de grootste stad ter wereld die je niet via de weg kon bereiken. Om er te komen moest je ofwel varen ofwel vliegen.

Vanochtend hadden ze de derde grootste stad aan de Amazone achter zich gelaten. En bij de monding van de Rio Ucayali hadden ze vanavond met mevrouw B'Kerr afgesproken. Niet toevallig veranderde de Amazone op deze plaats van naam en werd hij voortaan de Rio Marañon genoemd.

Zelfs op bijna vierduizend kilometer van de monding was de Amazone nog altijd anderhalve kilometer breed. De Rio Yarapa, waaruit mevrouw B'Kerr met haar bootje tevoorschijn was gekomen, was in vergelijking maar een beekje meer. De rivier was vijftig meter breed en absoluut niet diep genoeg voor de Alexander Snybolov. De kapitein had opdracht gegeven een van de rubberboten te water te laten en alles wat nodig was daarin te laden, zodat Marijn en zijn vader minstens

* *Zie 'Het dolfijnenkind'*

een week lang bij Axelle B'Kerr konden blijven. Ondertussen zou de Alexander Snybolov hier voor anker gaan en op hun terugkeer wachten.

Een halfuur later

'En dit is dan het centrum van de roze dolfijn,' riep Axelle B'Kerr dolenthousiast uit.

De nederzetting bestond uit een reeks paalhutten die in dit seizoen allemaal in het water stonden en door loopbruggen met elkaar waren verbonden. Vlak bij de aanlegsteiger die toegang gaf tot de grootste hut, was een groot opschrift aangebracht. Daar stond op een roze achtergrond in blauwe letters geschilderd: PINK DOLPHIN CENTER.

Maar wat de twee bezoekers meteen opviel toen ze bij het aanleggen de motor van hun boot hadden afgezet, was de muziek die in de nederzetting klonk.

'Maar dat is muziek van ...'

Professor Jansen kon zijn zin niet beëindigen. Axelle B'Kerr was hem voor.

'... van Pink Floyd natuurlijk. De dolfijnen die hier rondzwemmen, zijn er gek op. En de meeste bezoekers ook. Elke avond en elke ochtend draaien we een volledige cd. Ik vermoed dat de dolfijnen wel meer zouden willen, maar je mag natuurlijk niet overdrijven, hè!'

Elke dag twee platen van Pink Floyd, dacht professor Jansen. Zal ik dat wel een week lang volhouden?

Marijn moest glimlachen toen hij het gezicht van zijn vader zag. Hij kon al raden wat er nu door zijn hoofd ging. Was dat allemaal wel wetenschappelijk verantwoord? Want dat was uiteindelijk de grootste kritiek die professor Jansen op de methoden van Axelle had. Marijn zelf had daar veel minder moeite mee, integendeel. Hij was steeds meer geboeid door de vrouw.

Nadat vader en zoon hun boot vastgemaakt hadden, klommen ze naar boven. In de grootste hut kregen ze meteen meer uitleg.

'Dit is onze vergaderzaal,' zei mevrouw B'Kerr. 'Hier komen we geregeld samen om de resultaten van al onze onderzoeksprojecten te bespreken.'

'Waarmee zijn jullie momenteel bezig?' vroeg Marijn nieuwsgierig.

'Wel, nu de rivieren weer aanzwellen en het woud helemaal onder water komt te staan, kunnen de dolfijnen weer tot aan onze voordeur komen. Van die gelegenheid maken we dan ook gebruik om er zo veel mogelijk te vangen ...'

'Te vangen?' riep professor Jansen.

'Ja, te vangen en van een zendertje te voorzien. In de voorbije weken hebben we er al een zevental te pakken gekregen. Sindsdien kunnen we hen bijna voortdurend volgen.'

'Hoezo?' vroeg Marijn.

'Dankzij de hoge antenne daar in de top van die apuiboom.'

Axelle B'Kerr leunde vervaarlijk over de reling en wees in de richting van het woud. Professor Jansen en Marijn aarzelden even om haar voorbeeld te volgen.

'Je hoeft niet bang te zijn om ertegen te leunen, hoor!' riep ze. 'Alles is hier stevig gebouwd. En mocht je toch in het water sukkelen, ik kan jullie garanderen dat er hier aan de voorkant absoluut geen piranha's zitten.'

'Waar zitten die dan?' vroeg professor Jansen, niet zonder een heel klein beetje spot.

'Helemaal aan de andere kant bij de keuken. Want daar gooien we onze etensresten in het water. Ik zou jullie dan ook niet aanraden om daar te zwemmen.'

Professor Jansen slaakte een diepe zucht.

'En hoe werkt die antenne dan precies?' vroeg Marijn.

'Als jou dat interesseert,' antwoordde de Amerikaanse, 'dan mag je een van de volgende dagen met mij mee naar boven. Het is maar zesendertig meter hoog. Daar zal ik je alles uitleggen en laten zien.'

De jongen keek nog eens naar de antenne en kon toen toch niet nalaten even te slikken. Dat was toch best hoog ...

'Maar komen jullie nu eerst even met mij mee. Ik zal jullie kamers laten zien. Dan kunnen jullie je de bagage daar achterlaten en kunnen we kennismaken met de andere medewerkers van het centrum.'

Terwijl vader en zoon hun gastvrouw volgden, klonk tussen de geluiden van het regenwoud 'The Nile Song' van Pink Floyd ...

Precies op hetzelfde ogenblik, maar dan bijna tien kilometer noordelijker

Hoewel de zon al was ondergegaan, weerspiegelde er in het water van de Amazone nog voldoende licht om veilig te kunnen varen. Over het water gleed een grote, platte prauw die door een krachtige buitenboordmotor werd aangedreven. Voorlopig kon de boot nog doorvaren, maar lang zou het niet meer duren. Dan zou het echt te donker worden.

Vooraan bij de boeg zat Ramon Bastos, die met een verrekijker stroomopwaarts tuurde. Hij vroeg zich af hoe ver het nog was voordat hij de Alexander Snybolov in het oog zou krijgen. Zo veel voorsprong kon het schip toch niet hebben. Als zijn informatie klopte, moest de boot bovendien al een tijdje voor anker liggen. Misschien na de volgende bocht ...

De man slaakte een kreet van vreugde. Een donkere vlek op het spiegelende water in de verte verraadde de plaats waar een vaartuig stillag. Dat kon alleen maar de Alexander Snybolov zijn.

Eindelijk had hij hen ingehaald. Meer wilde hij voorlopig niet bereiken. Ramon Bastos had immers besloten om toe te slaan op het moment dat ze dat het minst verwachtten …

15

Het Pink Dolphin Center, zaterdag 17 januari, in de vroege ochtend

'Je moet er vooral voor zorgen dat je er geen enkele plattrapt, want dan wordt het pas gevaarlijk!'

'Hoezo?' vroeg Marijn. 'Dan is er toch al eentje minder dat kan bijten.'

'Akkoord,' antwoordde Axelle B'Kerr, 'maar dan zendt dat ene exemplaar een chemisch signaal uit en vallen alle andere je meteen aan. En ik kan je garanderen, als je daarboven in die boom tussen hemel en aarde hangt, is dat geen lachertje!'

Opnieuw keek Marijn naar de houten treden die tegen de machtige apuiboom waren gespijkerd. Was het eergisteren wel een goed idee geweest om wat meer over die antenne te willen weten? Maar nu kon de jongen niet meer terug ...

Vanochtend waren ze weer vroeg opgestaan. Donderdagnacht was het de eerste keer in weken dat hij niet in een vaartuig had geslapen. Die twee voorbije nachten had hij zelfs last gehad om in te dommelen. Dat kwam ook door het vreemde bezoek dat Marijn en zijn vader wakker had gemaakt.

Eerst was er die harige vogelspin, die de klamboe van Marijn probeerde te beklimmen. Daarna die vlucht vleermuizen, die met snerpend gepiep in hun kamer rondfladderden. Pas de volgende ochtend hadden ze van mevrouw B'Kerr te horen gekregen dat al die beestjes tot de vaste bewoners van het centrum behoorden. Gelukkig was Marijn er net niet in geslaagd de spin met zijn schoen plat te kloppen. Maar hoe het nu met die reusachtige mieren zou gaan, dat was een andere zaak.

Vanochtend was Axelle hem na het ontbijt komen halen om de antenne van dichtbij te bekijken. Toen ze over enkele loopbruggen de apuiboom bereikt hadden, moesten ze die via houten treden beklimmen. Ondertussen moesten ze rekening houden met de mieren. Die beestjes waren meer dan twee centimeter lang en voorzien van vervaarlijke kaken. Ze liepen kriskras door elkaar over de hele stam. Normaal vielen ze niet aan. Als je er tenminste niet per ongeluk eentje plattrapte ...

Axelle klom als eerste naar boven, onmiddellijk gevolgd door Marijn. De jongen griezelde even toen hij de reuzenmieren vlak voor zijn neus voorbij zag komen. Maar hij moest zijn aandacht vooral richten op zijn handen en voeten.

Naarmate hij hoger kwam, kreeg hij het benauwder. Maar met het voorbeeld van de Amerikaanse voor ogen had hij geen andere keuze dan haar op de voet te volgen.

Eindelijk bereikten ze de top van de boom, waar een klein platform was gebouwd. Aan de voet van de antenne stond een waterdichte doos.

'Kijk,' zei de Amerikaanse, 'hierin worden al onze gegevens bewaard. Telkens als een van de dolfijnen met zijn zendertje in de buurt komt, wordt dat geregistreerd. Doordat hij hier zo hoog staat, bestrijkt de antenne een heel groot gebied. Op die manier kunnen we de bewegingen van de dolfijnen goed volgen. Hoewel de dieren gemakkelijk een topsnelheid van vijftien kilometer per uur kunnen halen, leggen ze per dag zelden meer dan tien kilometer af. In tegenstelling tot de tucuxi, die een echter trekker is en in de rivieren blijft om te jagen, is de bufeo eerder een eenzaat die in het ondergelopen woud gemakkelijk zijn voedsel vindt. Meestal blijven de dolfijnen hier dan ook in de buurt. Dat kan ik je trouwens gemakkelijk laten zien ...'

Axelle opende het deksel van de waterdichte doos. Daarop stonden alle frequenties van de zendertjes genoteerd. Elke dolfijn had immers een andere frequentie.

'Nu kunnen we aflezen,' ging de vrouw verder, 'hoe vaak de dolfijnen hier de voorbije vierentwintig uur voorbij zijn gekomen.'

Tot de grote onsteltenis van de vrouw was er helemaal niets te zien.

'Hoe kan dat nu?' riep ze uit. 'Sinds gisterenochtend is er geen enkel dier meer in de buurt gekomen. Als dat niet vreemd is!'

Precies op dat ogenblik meende Marijn in de verte het geronk van een buitenboordmotor te horen. De jongen was echter zo ontdaan door de vaststelling van Axelle dat hij er verder geen aandacht aan besteedde.

16

Nog geen halfuur later

Door een labyrint van ondergelopen bomen en struiken probeerde een platte schuit zich een weg te banen. Aan alle kanten, zowel boven als onder water, moesten hindernissen omzeild of overwonnen worden.

De ongewone situatie bood wel een unieke kans om de natuur vanuit een heel ander standpunt te bekijken. Daar was Marijn zich ten volle van bewust. Op ooghoogte passeerden ze de nesten van allerlei dieren. De jongen kon binnenkijken in de holen van papegaaien, toekans en bamboeratten. Van heel dichtbij zag hij hoe harige, vuistdikke tarantula's over de takken kropen op zoek naar een prooi ...

Door de hoge stand van het water was het alsof de schuit op kruinhoogte tussen bomen gleed. Bomen die vele meters diep met hun stam in het water stonden en die door dikke lianen met elkaar waren verbonden. Via de stammen kronkelden bruine duizendpoten naar reusachtige bromelia's, een plant die verwant was aan de ananas en zijn bladeren uitspreidde tot een gigantische kelk waar zich een hele wereld schuilhield. Daar vlak bij hingen ten slotte ook nog de zwaar beladen nesten van mieren, wespen en termieten ...

Dit was niet alleen een prachtige maar ook een gevaarlijke wereld. Elk moment kon er iets misgaan. Zodra de schuit de doornen van astrocaryumpalm raakte, moest je heel snel je arm wegtrekken of hij zat vol stekels. En als het vaartuig per ongeluk tegen de stam van de kleine cecropiaboom botste, kon het mieren regenen. Gelukkig waren het geen vuurmieren zoals de beruchte tangaranga, maar toch konden ze heel goed bijten.

Na een klein uurtje varen hield de schuit eindelijk halt. Braulio, de indiaanse gids die deze wateren als zijn broekzak kende, had de plaats bereikt die Axelle hem bij het vertrek had aangewezen. De man zette de motor af, zodat de stilte van het regenwoud op hen kon neerdalen. Het was alsof de drie opvarenden nu pas ten volle beseften dat ze in een andere wereld waren aangekomen. Maar de betovering duurde niet lang. Ongeduldig als ze was, begon de Amerikaanse opeens met haar vuist op de metalen zijkant van de schuit te bonzen.

'Met een beetje geluk krijgen we meteen reactie,' voegde ze eraan toe.

Marijn dacht dat er onmiddellijk een dolfijn tevoorschijn zou komen, maar dat was niet het geval. In plaats daarvan barstte er een grote luchtbel doorheen het wateroppervlak.

Onmiddellijk begon de vrouw opnieuw te bonzen, met dezelfde reactie tot gevolg. Het water broebelde nu bijna aan alle kanten van de boot.

Marijn vond het een grappig schouwspel en schoot in de lach. Zoiets had hij dolfijnen nog nooit zien doen. Kort daarop staken drie roze dolfijnen hun typische kop boven het water uit.

Axelle keek onmiddellijk naar de platte rugvin van de drie dieren. Daar werden immers de zendertjes aan vastgemaakt.

Tot haar ontgoocheling moest ze vaststellen dat geen van de drie dieren tot de zeven dolfijnen behoorde die ze zochten. Dit was nochtans een plaats waar ze geregeld kwamen.

Het ogenblik daarop zagen ze onder water nog meer bewegen. Waarschijnlijk zaten daar nog andere exemplaren. Om te weten te komen of die een zendertje droegen, zou Marijn moeten duiken.

Zoals afgesproken, trok de jongen zijn T-shirt uit en pakte hij zijn masker, snorkel en zwemvliezen.

Zodra hij alles aangetrokken had, liet hij zich voorzichtig in het water glijden. Axelle had hem verzekerd dat hij niet bang hoefde te zijn van piranha's. Toch voelde de jongen zich niet helemaal op zijn gemak. Hij had al gemerkt dat het zicht onder water beperkt was tot enkele meters. In zulke omstandigheden kon je het gevaar pas zien aankomen als het al bijna te laat was. En waar kon je hier al duikend niet allemaal mee in aanraking komen? Een stuk hout, een anaconda, een steekrog, een sidderaal, een kaaiman of een haai? Vanuit de Atlantische Oceaan zwommen er immers regelmatig stierhaaien een heel eind de Amazone op. Die drongen soms diep landinwaarts tot in deze wateren. En die soort haaien behoorde tot de gevaarlijkste ter wereld ...

Marijn was meteen gerustgesteld toen hij niet minder dan zes bufeo's om zich heen zag bewegen. Ondanks de roodachtige kleur van het water kon hij ze nog tamelijk goed onderscheiden. De jongen zag hoe ze zich langs de takken van de ondergelopen bomen kronkelden en hij moest lachen. De dolfijnen zaten hier als het ware in de bomen. Toch zouden hun broertjes vanuit de zee dit maar moeilijk kunnen nadoen. Die waren immers bijlange zo soepel niet. Bovendien zou die rechtopstaande rugvin hun overal in de weg zitten. Precies daarom waren de rugvinnen van rivierdolfijnen veel platter. Maar hoe de jongen ook naar die vinnen keek, geen ervan was ooit voorzien geweest van een zendertje. De dolfijnen die hier rondzwommen, behoorden dus ook niet tot de zeven die vermist waren.

'Waar kunnen ze toch zitten?' vroeg Axelle zich af toen Marijn haar van de situatie op de hoogte bracht. 'Misschien krijg ik deze keer met een van hen contact.'

Terwijl Marijn aan boord klom, pakte de vrouw voor de vierde keer die ochtend de speciale telemetrische antenne vast. Die zag er een beetje uit als de bovenkant van een ouderwetse televisieantenne. Daarna zette ze de koptelefoon weer op haar oren en schakelde ze het apparaat aan.

'Ik hoop dat ik mijn beestjes deze keer wel hoor kussen.'

Marijn kon niet nalaten te glimlachen. Het signaal dat het zendertje uitstraalde en dat door de antenne werd opgevangen, klonk in de koptelefoon als een reeks zoentjes.

'En?' vroeg de jongen nadat de vrouw de antenne in diverse richtingen had gezwaaid.

'Ik heb contact!' riep ze enthousiast. 'Ik heb contact! Braulio, die kant op. En snel!'

Terwijl Axelle de antenne als een lans voor zich hield, startte Braulio de motor en vertrok de schuit.

'Nu zijn we ze toch weer op het spoor gekomen,' riep Marijn terwijl hij zich afdroogde. 'Wat vreemd, opeens lijkt alles weer te werken.'

Maar Axelle schonk geen aandacht aan de opmerking van de jongen. De tocht door het ondergelopen woud kon niet snel genoeg gaan voor de vrouw. Hoe meer ze vorderden, hoe sterker het signaal werd. De dolfijn kon niet ver meer zijn.

Kort daarop bereikten ze de open ruimte van een meertje. Axelle gebaarde dat de motor stilgelegd moest worden.

Opnieuw werd alles kalm. Naast het gezoem van enkele groene libellen die boven de paarse waterhyacinten zweefden, werd het signaal uit de koptelefoon nu ook voor de twee anderen hoorbaar. Het klonk zo luid dat de dolfijn vlakbij moest zijn. Maar aan de oppervlakte was helemaal niets te zien. Enkel een vlakke waterspiegel die van alle kanten door kapokbomen werd omringd.

De lucht was zo heet als adem en het zweet liep zelfs in hun ogen. Er was nog altijd geen beweging te bespeuren. Zo stil had Marijn het vandaag nog niet meegemaakt. Het was bijna verdacht stil. En voor de eerste keer moest hij opnieuw denken aan dat geronk dat hij die ochtend boven in de hoge apuiboom had gehoord.

'En als ik nu eens een andere frequentie probeerde?' vroeg de vrouw zich opeens af.

Ze tikte enkele toetsen in en ook nu was het signaal voor iedereen duidelijk hoorbaar.

'Dat is vreemd,' riep ze meteen. 'Die twee dolfijnen zouden hier samen moeten zitten. Maar er beweegt niets!'

Daarop probeerde ze nog een andere frequentie, en ook deze keer gaf het signaal aan dat het dier vlakbij moest zijn. Het was hetzelfde bij alle andere frequenties.

'Hier klopt iets niet,' riep ze woedend. 'Het is onmogelijk dat de dolfijnen hier allemaal samen zijn zonder dat we er ook maar iets van merken.'

Daarop pakte Marijn zijn verrekijker en speurde hij de boorden van het meertje af.

Nog geen halve minuut later meende hij aan de andere kant iets te zien drijven.

'Daar,' zei hij en hij wees naar een plaats op een goeie honderd meter van hen vandaan.

Meteen startte de motor. Heel langzaam schoof de schuit vooruit. Ondertussen had Marijn zijn verr[illegible]kijker weer op het punt gericht.

Terwijl ze dichterbij kwamen, [illegible] bang voorgevoel zich van hem meester. En zijn gevoel w[illegible]d. Aan de oppervlakte dreven zeker zes dode dolfijn[illegible] afgesneden rugvin ...

17

‘Wie heeft dat gedaan?’ schreeuwde Axelle toen ze zag wat er met de dolfijnen was gebeurd. ‘Dat die smeerlappen eens tevoorschijn komen, zodat ik met hen kan afrekenen!’

Precies op dat moment vloog een grote zwerm geelgroene parkieten schreeuwend op. Bijna tegelijk was een zware motor aangeslagen en kwam er vanuit het struikgewas een grote prauw tevoorschijn.

Marijn herkende onmiddellijk de man die vooraan bij de boeg stond. Hij werd vergezeld door een aantal gewapend mannen.

‘Als dat geen mooi weerzien is!’ riep Ramon Bastos lachend. ‘Of dacht je werkelijk dat ik met dat schip naar de haaienkelder was vertrokken?* Er bestaat nog altijd zoiets al duikapparatuur! Al moet ik wel [illegible] et veel gescheeld heeft. Het duurde lang voordat ik [illegible] hoek ontmoeten wij elkaar nu in het [illegible] er dat we die brave beestjes heb- [illegible] toe te krijgen.’

[illegible]

‘Ne [illegible] oor. Maar je vriendje Aurelio wel,’ zei Ramon [illegible] uistere figuur grijnzend naar voren stapte. ‘Welnu, gisteren heeft hij jouw dolfijntjes een voor een voor ons opgespoord met precies dezelfde apparatuur als die van jou. Je wist waarschijnlijk niet eens dat hij een antenne in zijn bezit had! En zodra we er eentje vonden, had hij geen andere keuze dan het dier te harpoeneren en binnen te halen. Weet je, je had die arme kerel nooit mogen ontslaan.’

* *Zie ‘Verdwenen in de Sargassozee’*

'Ik hou geen mensen in dienst die stelen. En niet één keer, maar keer op keer.'

'Kan best zijn, maar hij heeft mij in elk geval goed geholpen. Wat een geluk dat een van mijn mensen hem vorige week in Iquitos wist te vinden. Want dankzij de zendertjes die we op die manier te pakken konden krijgen, zijn jullie recht in de val gelopen,' zei Ramon trots, terwijl hij hun de afgesneden rugvinnen liet zien waar de toestelletjes nog aan vasthingen.

'Moesten jullie nu echt die dolfijnen afmaken?' vroeg Marijn verbolgen. 'Jullie hadden die zendertjes toch ook gewoon los kunnen maken. Dan hadden jullie ons nog altijd hiernaartoe kunnen lokken ...'

'Akkoord,' gaf de schurk toe, 'maar we hadden het vlees van die dolfijnen ook nodig om nog iets anders naar deze plek te krijgen.'

Marijn en Axelle keken elkaar vragend aan.

'Wat dan?' schoot de vrouw uit.

'Heel eenvoudig,' antwoordde Ramon, 'kijk eens goed wat er allemaal aan die dolfijnen aan het knabbelen is.'

Marijn besefte het onmiddellijk. Het bloed van de dolfijnen [illegible] heel wat roofdieren naar dit meertje gel[illegible] moest het op deze plaats krioelen va[illegible]

'En heb je die rugvin ook gezien[illegible]

Het ogenblik daarop verstijfde Mari[illegible] water uit. Geen rugvin van een dolfijn, ma[illegible] stierhaai. Een van de weinige haaiensoorten die heel gevaarlijk was voor mensen.

'En nu hebben we genoeg gepraat,' riep Bastos. 'We gaan al die beestjes snel nog meer te eten geven.'

Op een teken van de schurk sloeg de motor van de prauw aan. Het vaartuig schoot met opgeheven neus vooruit en het was duidelijk de bedoeling hun schuit te rammen.

Braulio zag het gebeuren en startte snel zijn motor. Nog even probeerde de indiaan de aanstormende prauw te ontwijken, maar het manoeuvre mislukte.

Het ogenblik daarop kreeg de achtersteven van de metalen schuit een flinke klap. Het platte vaartuig draaide rond als een tol. Daardoor werden Axelle en Braulio het water in geslingerd. Zij zaten immers aan de twee uiteinden. Marijn, die zich precies in het midden bevond, viel achterover, maar bleef gelukkig droog.

De jongen sprong meteen naar de motor om in de tegenaanval te gaan. Zolang hij die schurken niet had uitgeschakeld, kon hij Axelle en Braulio onmogelijk redden.

De jongen gaf plankgas, maakte een grote bocht en raasde recht naar het midden van de prauw.

Enkele van de mannen probeerden hun wapen te gebruiken, maar slaagden er helemaal niet in om te mikken. Er weerklonken een paar knallen, maar het moment daarop werden ze al geramd. Hun vaartuig kantelde door de schok en de platte schuit schoof er gewoon over. Gelukkig had Marijn erop gelet dat zijn buitenboordmotor bij de staart los zat. Anders had hij die zeker beschadigd!

Nu was het de beurt aan de schurken om in het water te spartelen. Martijn maakte van de gelegenheid gebruik om zo snel mogelijk zijn twee gezellen te redden. De jongen keerde zijn vaartuig om en raasde naar de plek waar ze aangevallen waren.

De eerste die hij tegenkwam, was Braulio. De indiaan dreef bewusteloos op het water. Dat was ook niet te verwonderen. De man zat precies op de plaats waar ze geramd waren.

Zo snel mogelijk probeerde Marijn de indiaan aan boord te krijgen. Gelukkig was de man klein en mager van gestalte.

Net toen Braulio naar binnen kantelde, hoorde Marijn geschreeuw. Hij keerde zich om en zag hoe Axelle naar hem toe zwom, maar ook hoe een grote vin zich van de dode dolfijnen losmaakte en langzaam in de richting van de Amerikaanse zwom. De vrouw was nog op zo'n twintig meter van het bootje verwijderd.

Zo snel als hij kon, probeerde Marijn haar tegemoet te komen. Maar de vin ging nu opeens razendsnel vooruit. De jongen zou de vrouw nooit op tijd uit het water krijgen!

Toch hield hij vol. Hij bereikte Axelle voor de haai, maar die was nu ook vlakbij. En toen gebeurde het.

Van drie kanten zag Marijn onder water bleke schimmen naar de haai toe schieten. Het ogenblik daarop veranderde de vin bruusk van richting.

Meteen trok hij de vrouw uit het water. Op het nippertje hadden drie dolfijnen haar gered. Dat had zijn vader moeten meemaken!

Algauw had de haai een nieuw slachtoffer gevonden. Een van de boeven was bezig zich op de omgekantelde prauw te hijsen, toen hij opeens werd meegesleurd. En daarna was het de beurt aan Aurelio om onder water te verdwijnen.

Marijn vroeg zich af of dit ook het werk van die haai was. Of had een kaaiman of een school piranha's die taak op zich genomen? Of waren het de drie rivierdolfijnen die nu wraak namen ...

De jongen wilde er niet verder bij stilstaan. Hij zag hoe Ramon samen met een kompaan in een boom was geklommen, terwijl een derde toevlucht had weten te vinden op de omgeslagen prauw. Van de vijf aanvallers bleven er maar drie over.

Marijn had geen tijd om er verder over na te denken, de arme Braulio had al zijn aandacht nodig. De indiaan lag bewusteloos op de vloer van het vaartuig. Het kwam eropaan zo snel mogelijk naar het centrum terug te keren en medische hulp te zoeken. Maar met Braulio was ook hun gids uitgeschakeld. Zouden Axelle en hij in staat zijn om door de wirwar van ondergelopen bomen hun weg terug te vinden?

18

Vele uren later

Eindelijk begon het minder te regenen. Vanaf het moment dat de eerste druppels 's middags gevallen waren, was het niet meer opgehouden. Gelukkig hadden ze snel een canvas gevonden om zich wat te beschermen. Echt droog had het hen echter niet gehouden. Uiteindelijk waren ze toch door en door nat geworden.

Terwijl Axelle zich voortdurend bezighield met water uit de boot te scheppen, had Marijn geprobeerd het vaartuig door het doolhof van bomen te loodsen. Zonder kompas. Samen met zijn rugzak was dat overboord geslingerd en razendsnel gezonken. Op Braulio hadden ze ook niet kunnen rekenen. Net voordat het begon te regenen, was de indiaan weer bij bewustzijn gekomen, maar de arme man had zo'n zware hersenschudding opgelopen dat hij helemaal niet in staat was hen te helpen. En doordat er vanaf de middag ook geen zon meer scheen, was er geen enkele houvast meer om zich te oriënteren.

Al hun moeite was tevergeefs. Na lang zoeken waren ze tot het inzicht gekomen dat ze hopeloos verdwaald waren. En nu het ook nog avond werd, zag hun situatie er allesbehalve rooskleurig uit. Door zo lang rond te varen was hun voorraad benzine ook flink geslonken. Daarom hadden ze een halfuurtje geleden besloten hun zoektocht voorlopig te staken.

Op dat ogenblik waren ze opnieuw bij een meertje aanbeland. De omgeving telde er tientallen. Niet ver van de kant zouden de nacht proberen door te brengen. Een andere keuze hadden ze niet. Morgen zou Braulio waarschijnlijk beter zijn. Ongetwijfeld zou er ook een grote zoekactie worden georganiseerd. Met een beetje geluk konden ze dan snel worden gevonden. Voor de rest hoopten ze dat het vannacht even ophield met regenen. Dan konden ze tenminste nog een beetje proberen te slapen.

Die hoop bleek snel in vervulling te gaan. Terwijl de laatste druppels vielen, zagen ze in de verte aan de andere kant van het meertje vlak boven de kruinen van de bomen de volle maan opkomen.

Een tijdlang zat Marijn er zwijgend naar te kijken. Totdat ook het geluid van de laatste regendruppels wegstierf en zijn aandacht door een totaal ander soort geplons werd gewekt. Dat klonk veel zwaarder. Het was bijna alsof er een kei in het water viel. Kort daarop zag hij wat het was.

Een rijpe vrucht, niet groter dan een pruim, viel vanuit een boom in het water en werd onmiddellijk door een vis opgepikt.

Axelle, die het ook had gemerkt, zei: 'Het Amazonebekken is wat planten- en dierenleven betreft een van de meeste wonderbare plekken ter wereld. Heb je trouwens enig idee hoe gigantisch groot dit gebied is?'

Marijn zag dat de vrouw op dat moment naar de maan keek en glimlachte.

'Wel,' zei hij, 'het stroomgebied van de Amazone zou dezelfde oppervlakte hebben als het grondgebied van de Verenigde Staten.'

'Klopt,' zei ze. 'En wist je dat …'

'… het oppervlak van de volle maan die wij zien even groot is als dat van de Verenigde Staten?' maakte Marijn haar zin af. 'Het Amazonebekken is dus …'

'… even groot als de volle maan,' vulde Axelle hem ten slotte glimlachend aan. 'Maar weet je ook hoe de Amazone ontstaan is?'

'Ja,' riep Marijn enthousiast, 'de Amazone mondde vroeger uit in de Stille Oceaan, tot de Andes ...'

'Nee, nee,' onderbrak de Amerikaanse hem, 'ik bedoel de ontstaansgeschiedenis zoals de indianen die hier vertellen!'

Op die vraag kon Marijn geen antwoord geven.

'Wel,' zei de vrouw, 'dan zal ik je een van de mooiste verhalen vertellen die ik ooit heb gehoord. Een oude indiaan heeft het mij verteld toen ik hier voor de eerste keer kwam.'

De jongen zweeg en luisterde.

'Heel lang geleden werden de zon en de maan verliefd op elkaar. Jarenlang beminden ze elkaar. Tot de oppergod Tupa op een dag jaloers op hen werd. Hij trok de twee uit elkaar en verjoeg de maan naar de onderwereld. Daardoor kon zij alleen nog 's nachts schijnen. Maar dan was haar geliefde zon er niet. En overdag moest de zon het zonder zijn geliefde maan stellen. Omdat ze nooit meer samen konden zijn, werden ze de "onmogelijke geliefden" genoemd. Toch werd hen om de zoveel jaar een moment gegund waarop ze elkaar kortstondig konden omhelzen. Op het ogenblik van een zonsverduistering. Tijdens die eclips, waardoor het midden op de dag opeens donker werd, kon de zon heel even de maan in de armen sluiten. Dat was echter niet genoeg voor de maan, en ze begon zonder ophouden te huilen. De tranen stroomden als regen naar beneden en vormden zo de Amazone. Daarom draagt de stroom bij de indianen nog steeds de naam "Rivier van de Onmogelijke Liefde". Mooi, hè?'

Marijn gaf geen antwoord. De jongen kreeg tranen in zijn ogen. Het verhaal deed hem aan Talitha denken ...

Het kleine meertje baadde nog steeds in het maanlicht. Marijn keek naar het wateroppervlak dat nauwelijks rimpelde, en hij luisterde naar de geluiden van het regenwoud. De schrille kreten van de uilen weergalmden over het water. Het gekwaak van de kikkers zwol aan en nam af. En dan was er nog het gespetter van een kaaiman die met zijn staart sloeg of van een vis die uit het water sprong. Veel meer was er niet. Tot hij in de verte het geroffel van een tamtam meende te horen. Of vergiste hij zich?

Tegelijk leek er helemaal aan de andere kant van het meertje een lichtje op te flakkeren. Het was nog heel zwak, maar werd snel feller. Ook het geroffel klonk steeds luider. En het kwam precies uit dezelfde richting. Wat kon dat toch zijn?

Lang hoefde Marijn niet op een antwoord te wachten. Het was net alsof er aan de andere kant van het water een schuit vol met mensen zich een weg tussen de bomen probeerde te banen. De schuit, die op een drijvende schotel leek, werd alsmaar groter, terwijl het tamtamgeklop alsmaar indringender werd.

Kort daarop bereikte het vaartuig de ander kant van het meertje. Marijn kon de brandende fakkels duidelijk onderscheiden. Net als de mannen die zonder ophouden roffelden. En de dansers die op een platform op het ritme meedansten. De schuit was veel groter dan hij aanvankelijk had ingeschat.

De jongen kon nu zien dat de mannen witte hoeden en witte broeken droegen. En de vrouwen witte jurken. Op het hoogste platform danste iemand helemaal alleen. Haar jurk schitterde in het licht. Ze leek wel een prinses en ze lachte naar hem. Toen herkende hij haar ...

Marijn wilde schreeuwen, maar de mannen gooiden hun hoeden weg en veranderden allemaal in roze dolfijnen. De schuit zonk, de fakkels doofden en iedereen kwam in het meer terecht.

Toen schrok Marijn wakker. In het water rondom hem krioelde het van de dolfijnen.

Vijf minuten later

'De schuit zonk, de fakkels doofden en iedereen kwam in het meer terecht.'

Dit was niet het verhaal van Marijn, maar van Axelle. De jongen kon zijn oren bijna niet geloven. De vrouw had identiek dezelfde droom gehad. Ongeveer op hetzelfde moment was ze wakker geworden en ze wist Talitha tot in het kleinste detail te beschrijven. Hoe was dat mogelijk? Tenzij de dolfijnen werkelijk in staat waren in dromen binnen te dringen, zoals de mensen hier geloofden.

'Tja, een sluitende verklaring heb ik hier eigenlijk ook niet voor,' gaf de Amerikaanse toe. 'In het regenwoud gebeuren soms heel vreemde dingen. Ik weet dat je vader mij waarschijnlijk zou uitlachen. Toch raak ik er steeds meer van overtuigd dat deze dolfijnen over krachten beschikken die de meeste mensen hun niet zouden toeschrijven. Want als deze dieren met hun sonarsysteem in staat zijn dwars door ons heen te kijken, waarom zouden ze dan ook niet onze gedachten kunnen lezen? En als walvisachtigen er geen probleem mee hebben om over afstanden van duizenden kilometers met elkaar te communiceren, waarom zouden ze dan ook niet via telepathie met ons in verbinding kunnen treden? Natuurlijk ontbreken daar nog altijd wetenschappelijke bewijzen voor. Maar moeten we daarom zomaar aannemen dat het niet zou kunnen?'

Marijn kon haar geen ongelijk geven. En Talitha zou het hier zeker ook mee eens zijn.

'Nu ik dat meisje in mijn droom heb gezien,' voegde Axelle er onmiddellijk aan toe, 'had ik toch wel graag haar volledige verhaal gehoord. De rol die roze dolfijnen in haar leven spelen, boeit me echt. En wie weet kan ik jou misschien wel helpen. Als we vandaag tenminste uit dit labyrint komen. Ik weet nog steeds niet of Braulio ...'

Precies op dat moment hoorden Axelle en Marijn in de verte een licht geroffel. De zon was net opgegaan en het geluid leek uit dezelfde richting te komen.

De twee keken elkaar aan. Even dacht Marijn aan indianen, maar dat kon niet. Zonder nog een woord te zeggen sprong hij naar de buitenboordmotor en trok die in gang. Het ogenblik daarop vertrok de schuit in de richting van het geluid.

Met regelmatige tussenpozen hield de jongen halt en zette hij de motor even af om het vreemde geroffel opnieuw te kunnen horen. Maar op de duur was dat niet meer nodig. Het was niet alleen hard genoeg, door de andere geluiden die tussen het geroffel te horen waren, kon hij het nu heel precies plaatsen. Marijn wist wat het was, en ook Axelle kon het ondertussen thuisbrengen. Vanaf dat moment ging het heel snel.

Toen het geroffel en alle andere geluiden opnieuw wegstierven en in een zacht orgelspel overgingen, herkende Axelle de omgeving en wist ze waar ze waren.

Terwijl het tweede deel van 'A Saucerful of Secrets' van Pink Floyd in crescendo naar zijn hoogtepunt ging, bereikten ze eindelijk de aanlegsteiger van het Pink Dolphin Center. Dankzij die ochtendmuziek hadden Marijn, Axelle en de arme Braulio het dan toch gehaald.

19

Vlak bij de monding van de Rio Yarapa, woensdag 28 januari, 's ochtends

'De platte steen die het graf bedekte, liet er geen twijfel over bestaan. Haar naam stond er niet in gebeiteld, maar de lapjes stof die erboven bengelden, zeiden meer dan genoeg.'

Met deze woorden had Marijn gisterenavond zijn verhaal over Talitha beëindigd. Zoals de vorige keren had Axelle ook naar dit deel heel aandachtig geluisterd.

Nu hij samen met zijn vader aan boord van de rubberboot zat en terugkeerde naar de Alexander Snybolov, zag de jongen alles opnieuw voor zijn ogen. De begraafplaats van de indianen, of wat daar tenminste voor moest doorgaan. De rivier die daar niet ver vandaan liep en die zo hard op deze leek. De roze dolfijn die plotseling opdook. De indianen met dat mandje ...

Het stond allemaal in zijn geheugen gegrift, alsof het gisteren was. Toch waren er ondertussen al meer dan vier maanden voorbijgegaan. De plannen die hij toen had gesmeed om zo snel mogelijk terug te keren, had hij ondertussen allang laten varen. Iedereen had het hem afgeraden. Het was beter dat hij vooruitkeek en niet achterom. Maar het verleden wilde hem maar niet loslaten. Marijn had gehoopt dat hij door deze tocht wijzer zou worden. Maar het regenwoud en de dolfijnen hadden meer vragen dan antwoorden opgelevert. Zelfs Axelle, die zo goed thuis was in deze wereld, had hem geen andere raad kunnen geven. Hij zou nu definitief met het verleden moeten breken.

De voorbije week was Marijn er nochtans van overtuigd geweest dat de vrouw met iets belangrijks voor de dag zou komen. Of dat er van de kant van de dolfijnen nog iets onverwachts zou opduiken. Maar dat was niet het geval.

Marijn had zich ondertussen enorm ingezet voor de dieren. Eerst door actief aan de klopjacht deel te nemen. Maar die was op niets uitgedraaid. Ramon Bastos en zijn twee handlangers waren erin geslaagd te ontkomen. Daarna door zo veel mogelijk nieuwe dolfijnen te helpen vangen en van zendertjes te voorzien. Maar zijn hoop om via de dolfijnen iets van Talitha te vernemen, was niet ingelost.

Zodra ze de Alexander Snybolov bereikten, zouden ze beslissen of ze de Rio Marañon, die eigenlijk een deel van de Amazone was, verder zouden opvaren. In het droge seizoen was dit door de vele zandbanken een behoorlijk riskante onderneming. Maar aangezien de rivier door de regen veel hoger stond, konden ze best nog een heel eind verder varen. Totdat ze zich op het einde van hun reis slechts tweehonderd kilometer van Ecuador zouden bevinden.

Nu Marijn had ingezien dat hij het verleden moest laten rusten, begon hij zelfs te hopen dat het zou ophouden met regenen. Dan zou het schip niet meer verder kunnen reizen en verplicht zijn de terugreis aan te vatten. Terug naar Brazilië, naar de Atlantische Oceaan en uiteindelijk naar de Bahamas.

In de plaats daarvan begon het opnieuw te regenen. Tegelijk doemde in de verte de Alexander Snybolov op.

Iedereen aan boord zwaaide toen de rubberboot aankwam. Marijn reageerde onverschillig. Terwijl de rubberboot zachtjes tegen de flank van het schip botste, zette Marijn de motor af. Een lid van de bemanning was het bootje al aan het optakelen, toen er in de verte een platte schuit dichterbij kwam.

De jongen herkende het vaartuig onmiddellijk. Het was hetzelfde als dat waarmee hij anderhalve week geleden die prauw had geramd.

En inderdaad, niet veel later kon hij de twee opvarenden onderscheiden. Het waren Axelle en Braulio. Die laatste was ondertussen volledig hersteld.

Waarom kwamen ze hen halsoverkop achterna? vroeg Marijn zich af. Ze hadden toch al afscheid genomen!

Nog geen minuut later kwam de metalen schuit tot stilstand naast de rubberboot. De golf die het vaartuig vooruit had gestuwd, deed de rubberboot even vervaarlijk wiebelen. Gelukkig wist Marijn zich op tijd schrap te zetten.

'Marijn, we hebben je rugzakje teruggevonden!' riep de Amerikaanse terwijl ze ermee zwaaide.

'Hoe is dat gebeurd?' vroeg Marijn verwonderd.

'Wel, geloof het of niet, maar een dolfijn bracht het naar onze aanlegsteiger. Jullie waren nog maar net vertrokken. Alles zit er nog in. Je kompas en ook je portefeuille.'

De jongen merkte niet meteen op dat de vrouw aarzelde om nog iets te zeggen.

'Prachtig!' riep hij blij.

Axelle overhandigde hem de rugzak en de portefeuille.

'Er is nog iets,' voegde ze er aarzelend aan toe, en de vrouw klonk heel ernstig.

'Het was niet mijn bedoeling om in jouw portefeuille te snuffelen, maar ik heb de twee foto's gezien die erin zaten.'

Marijn wist meteen waar ze het over had. Toen hij haar over Talitha had verteld, had hij haar de foto uit zijn portefeuille willen laten zien. Maar samen met zijn rugzakje en de andere spullen had hij die verloren.

'Klopt het,' ging de Amerikaanse verder, 'dat de ene foto Talitha is?'

De jongen knikte.

'En de andere foto haar baby?'

Marijn knikte nogmaals. Hij moest vechten om zijn tranen binnen te houden.

'Werd dat kindje bij de indianen in het regenwoud geboren?'

Hij knikte voor de derde keer.

'Waarom heb je mij daar nooit iets over verteld?' vroeg ze hem nu met heel zachte stem.

De jongen stak zijn schouders op. 'Wat voor zin had het om ook nog eens over haar kindje ...'

'Maar die informatie is enorm belangrijk,' onderbrak Axelle hem heftig. 'Wist je dat heel veel indianenstammen in dit deel van de Amazone, en dus ook in Ecuador, een heel bijzondere gewoonte hebben wanneer een baby wordt geboren?'

De jongen schrok door de felle reactie van Axelle, maar tegelijk voelde hij dat de grote doorbraak waar hij zo lang op gehoopt had, zich nu aan het voltrekken was. Daar hadden de dolfijnen blijkbaar dan toch voor gezorgd.

'Welnu,' ging de Amerikaanse opgewonden verder, 'veel indianenstammen willen bij de geboorte van een gezond kind Moeder Aarde op een heel speciale manier bedanken. Ze hebben de gewoonte om haar de nageboorte te schenken. Als een soort offer. Dat begraven ze dan op een aparte plaats, samen met het kledingstuk dat de moeder tijdens de bevalling droeg. Wat jij bij de indianen hebt gezien, was absoluut geen begraafplaats, maar de plek waar de moederkoek begraven was!'

20

Op de Rio Marañon, aan de monding van de Rio Pastaza, donderdag 5 februari

Traag passeerde de monding van de rivier aan stuurboord. Sinds de Alexander Snybolov een goeie week geleden de Rio Marañon was opgevaren, was de Rio Pastaza na de Rio Tigre de tweede rivier die vanuit het noorden zijn wateren in de Amazone loosde. Beide rivieren hadden hun bovenloop in Ecuador.

Op een goeie vierhonderd kilometer hiervandaan passeerde de Rio Pastaza het stadje Baños, dat vorig jaar erg te lijden had gehad onder een vulkaanuitbarsting.

Marijn, die zoals gewoonlijk vooraan bij de boeg zat, kon zich die ramp nog levendig voorstellen.* Het bruine water dat hij daar in de verte zag vloeien, bevatte zonder twijfel as, afkomstig uit de Tungurahua-vulkaan!

De voorbije week hadden ze al bijna vijfhonderd kilometer afgelegd op de Rio Marañon, maar elke dag ging het moeilijker. Hoewel de rivier nog steeds een halve kilometer breed was, kregen ze alsmaar minder water onder de kiel. Al enkele keren waren ze bijna op een zandbank gevaren. In tegenstelling tot de platte schuiten had de Alexander Snybolov nog altijd een diepgang van meer dan anderhalve meter. En dat begon nu problemen op te leveren. Gelukkig hadden ze vanuit Iquitos een goeie gids meegenomen. Het had de voorbije dagen echter heel wat minder geregend, waardoor het waterniveau langzaam begon

* *Zie 'Offer in de Andes'*

te zakken. Het zou niet lang meer duren voor ze gedwongen waren terug te keren.

Toch hoopte Marijn dat de Alexander Snybolov de laatste honderd kilometer tot Puerto America zou kunnen varen. De kleine nederzetting lag aan de monding van de Rio Morona en vandaar zou hij de laatste tweehonderddertig kilometer vliegend proberen af te leggen. De jongen had alles aandachtig bestudeerd op de kaart. Vanuit de lucht zou hij de slingerende rivier goed kunnen volgen. De rivier zou hem niet alleen de weg wijzen in noordelijke richting, maar in geval van nood zou hij er altijd op kunnen landen. Bij voorkeur in de buurt van een of andere nederzetting. Zijn plan voorzag echter geen tussenlandingen.

De rivier zou hem net over de grens met Ecuador brengen. Daar lag het stadje Puerto Morona en tien kilometer verderop de monding van de Rio Entzacua. Het was in de buurt van deze rivier dat Marijn eind september vorig jaar het vliegtuigwrak had ontdekt. Een kleine kilometer daarvandaan lag de indianennederzetting. Naar die plaats wilde hij een van de volgende dagen vliegen.

Als de omstandigheden gunstig waren, kon hij die tweehonderddertig kilometer gemakkelijk in drie uur afleggen. En als hij naast zijn normale tank met zestig liter benzine nog een reservetank van twintig liter meenam, kon hij de heen- en terugreis veilig afleggen zonder te hoeven bijtanken. Het enige nadeel was dat hij dan geen bagage meer kon meenemen. Geen tent, geen slaapzak, geen extra eten … Als hij dan een noodlanding zou moeten maken, zat hij wel diep in de problemen.

Toch had hij het ervoor over. Hij wilde absoluut uitsluiten dat de plaats waar hij die platte steen en dat lapje stof had gezien een begraafplaats was. Hoe hij dat zou aanpakken, zou hij daar wel beslissen. Eerst moest hij er zien te komen.

Het grootste obstakel was lange tijd zijn vader geweest, maar die had zich uiteindelijk moeten neerleggen bij het plan van Marijn. Professor Jansen was er aanvankelijk niet van overtuigd dat Axelle het bij het rechte eind had. En zelfs als dat zo was, wat garandeerde hem dan dat Talitha nog in leven was? De voorbije vier maanden had ze niets meer van zich laten horen. Ze was gewoon verdwenen, vermist. Wie in het regenwoud zonder sporen na te laten verdwijnt, heeft het waarschijnlijk niet overleefd. Wat voor zin had het om zo veel maanden later nog op zoek te gaan?

Marijn was echter vastbesloten om door te zetten en zijn vader had niets aan zijn besluit kunnen veranderen. Dus hadden ze een plan gemaakt. Ze zouden via de Rio Marañon doorvaren tot Puerto America. Vandaar zou Marijn in een dag tijd heen en weer proberen te vliegen. Afhankelijk van het resultaat zou er dan eventueel overgegaan worden tot een zoektocht vanuit Ecuador. Er was dus nog hoop. Al was Marijn zich ervan bewust dat de kans dat hij Talitha ooit nog terugvond heel klein was.

Marijn pakte opnieuw zijn verrekijker, want ze naderden een moeilijk punt. In de verte splitste de rivier zich in tweeën rond een eiland dat midden in het water lag. Meestal betekende dit dat er opeens veel minder ruimte overbleef om te passeren. Niet alleen in de breedte, maar vooral in de diepte. De geul werd veel nauwer en de zandbanken kwamen er hoger te liggen.

Toen ze naderden, zag de jongen iets vreemds door de verrekijker. Precies waar de geul moest zijn, stak iets boven water uit. Wat kon dat zijn?

Hoe dichterbij de Alexander Snybolov kwam, hoe duidelijker het plaatje werd. Een van de grote schuiten die in deze streek de enige verbinding vormden tussen de vele nederzettingen langs de rivier was op een zandbank gestrand en gezonken.

Toen ze vlakbij waren, werden ze toegesproken door een bemanningslid die de andere vaartuigen op de hoogte bracht. Door een megafoon liet hij weten dat het voorval zich gisterochtend voorgedaan had. Er waren gelukkig geen slachtoffers, maar de schade was aanzienlijk. Het schip vervoerde drie auto's, vijf motorfietsen en twee paarden. Met uitzondering van de twee dieren, die zich zwemmend hadden weten te redden, lag alles onder water. Net als een heleboel zakken koffie en bloem, de bagage van de opvarenden en het hele hebben en houden van een familie die net aan het verhuizen was ...

Nadat de opvarenden de kant hadden bereikt, waren ze op de oever naar het stadje San Lorenzo gelopen, waar ze gisterenavond waren aangekomen. Voor mensen die niet veel bezaten, was het hele voorval natuurlijk een zware tegenslag. Maar ook de Alexander Snybolov deelde in de brokken. Het wrak dat midden in de geul lag, blokkeerde de doorgang.

Het duurde niet lang voordat de betekenis daarvan tot Marijn doordrong. De jongen moest zijn plan om bij de monding van de Rio Morona met zijn vliegtuig op te stijgen, laten varen. Het zou dagen, misschien wel weken duren voordat het wrak gelicht werd en hun schip de reis verder kon zetten. Ofwel gaf hij zijn zoektocht naar Talitha op voordat die goed en wel begonnen was, ofwel besloot hij door te zetten en hier op te stijgen. De laatste optie maakte de hele onderneming wel een pak gevaarlijker ...

21

Honderden meters boven de Rio Marañon, vrijdag 6 februari, 's ochtends

De knoop was doorgehakt. Ondanks de tegenkanting van bijna iedereen aan boord had Marijn toch beslist vanochtend met zijn vliegtuigje te vertrekken. De kans dat hij vanavond terug zou zijn, was onbestaande. Doordat de Alexander Snybolov niet tot aan Puerto America had kunnen doorvaren, zou zijn hele vliegreis meer dan honderdvijftig kilometer langer worden. Meer dan zeshonderd in totaal. Om die afstand te overbruggen kon hij onmogelijk genoeg benzinevoorraad meenemen. Dat betekende dus dat hij onderweg zou moeten bijtanken. Dat zou hem niet alleen veel tijd kosten, ook was de kans groot dat hij niet meteen benzine vond. Nederzettingen in het Amazonewoud werden meestal heel onregelmatig en onvoldoende bevoorraad. Maar een andere keuze was er nu eenmaal niet.

De eerste plek waar Marijn zou landen, was Puerto America, aan de monding van de Rio Morona. Daar was een missiepost. Als hij daar tien liter benzine op de kop kon tikken, dan zat zijn tank alweer helemaal vol. Door op verschillende plekken kleine hoeveelheden brandstof bij elkaar te scharrelen, was de kans veel groter dat hij geen tekort zou hebben. Maar hij zou er wel ontzettend veel tijd mee verliezen.

Ondertussen zou de Alexander Snybolov op dezelfde plek voor anker blijven liggen, of doorvaren naar Puerto America zodra de doorgang weer vrij was. Dat spraken Marijn en zijn vader af voor de jongen vertrok.

Zoals Marijn verwacht had, was het een heerlijke vlucht. Onder zich zag hij de vijfhonderd meter brede Rio Marañon als een reusachtige autoweg kronkelen. Met zo'n stroom als leidraad kon je onmogelijk verkeerd vliegen. Het enige waar hij op moest letten, was dat hij Puerto America niet voorbijvloog. De kleine nederzetting bestond uit een tiental hutten. Aangezien de Rio Morona aan de monding nog altijd meer dan tweehonderdvijftig meter breed was, kon hij zich moeilijk vergissen.

De jongen keek op zijn horloge. Hij hing nu al meer dan drie kwartier in de lucht. Rechts in de verte tussen al dat groen moest de Rio Morona slingeren. Door de hoge bomen aan weerzijden van de rivier kon hij die echter nog niet zien.

Er viel hem wel iets anders op. Op de plek waar hij de Rio Morona had verwacht, strekte zich een veld uit van ongeveer anderhalve kilometer. Dat kon alleen maar de landingspiste van Puerto America zijn.

Kort daarop zag hij ook de monding van de Rio Morona. Marijn kon aan zijn afdaling beginnen. De nederzetting waar hij wilde landen, lag ongeveer een kilometer stroomopwaarts.

Vlak voor de monding zwenkte hij naar rechts en toen kon hij ook Puerto America zien liggen. Wat een pompeuze naam voor zo'n kleine nederzetting!

Op het ogenblik dat hij het water raakte, liepen er een heleboel kinderen naar de oever. Die kwamen ongetwijfeld van de missiepost.

De rubberboot gleed nog een heel eind verder om uiteindelijk zachtjes bij een strandje vast te lopen. Marijn had geen betere landing kunnen maken.

Nadat hij zijn microlight had vastgemaakt, liep hij de oever op. Omgeven door kinderen begaf hij naar de hut die zij als missiepost aanwezen. Marijn was nieuwsgierig hoe de padre hem zou ontvangen.

'Gasolina? Benzine?' vroeg de man toen de jongen met een lege plastic benzinetank van twintig liter voor zijn deur stond.

'Vamos a ver. We zullen zien.'

De man nodigde Marijn uit in een aftandse auto plaats te nemen. Na enkele pogingen startte het voertuig uiteindelijk. Wellicht bevonden de benzinetanks zich bij het vliegveldje, een paar kilometer verderop.

Tijdens de rit wierp Marijn een blik op de benzinemeter. De naald stond bijna op nul. Dat beloofde niet veel goeds.

Op de landingspiste stopten ze bij een aantal vaten waar wel tweehonderd liter brandstof in kon zitten. De man draaide de stop van de minst verroeste van allemaal los en met wat ooit een radioantenne was geweest, probeerde hij na te gaan hoeveel benzine er nog in zat.

'Vacio, leeg,' was zijn conclusie.

Marijn wist meteen hoe laat het was. Had hij dit op voorhand geweten, dan had hij hier nooit geland. Nu was hij minstens een uur kwijt.

Met hetzelfde slakkengangetje keerden ze terug.

Bij de missiepost nodigde de man hem uit om nog iets fris te drinken. Marijn aarzelde. De missionaris was zo vriendelijk geweest hem te helpen, dus wilde hij zijn aanbod niet afslaan. Anderzijds wilde hij het liefst zo weinig mogelijk tijd verliezen. Het ogenblik daarop hoefde hij al niet meer te kiezen.

In de verte weerklonk een donderslag. De jongen keerde zich in de richting van het geluid en zag hoe over de rand van de bomen inktzwarte wolken in hun richting dreven. Het was uitgesloten om door zo'n onweer te vliegen. Hij zou zich zelfs moeten haasten om zijn toestel in veiligheid te brengen!

Vele uren later

'Daarna werd de schedel van het hoofd verwijderd. Dat gebeurde door achteraan in de nek een verticale insnijding te maken en dan de huid en het vlees van het onderliggende been los te trekken.'

Marijn huiverde bij de woorden van de oude missionaris, maar de man ging zo in zijn verhaal op dat hij dat helemaal niet doorhad.

'Onder de oogleden werden rode zaadjes gestopt en vervolgens werden ze dichtgenaaid. De mond werd samengehouden door drie palmdoornen. Daarna werden de huid en het vlees gekookt in water waaraan kruiden waren toegevoegd. Die bevatten vooral tannine om de huid te looien. Als dat achter de rug was, werd het geheel gedroogd op hete rotsen en zand. Daarbij zorgde men er vooral voor dat de vorm mooi bewaard bleef. Zodra het eindresultaat kurkdroog en verschrompeld was, werd de huid nog eens ingewreven met houtskool. Daardoor kon de ziel van het slachtoffer niet meer ontsnappen. Dat was tenminste wat de indianen geloofden. Ten slotte werden de lippen dichtgenaaid. Op die manier vervaardigden de Jivaro's hun beruchte tsantsas.'

'En gebeurt dat nog steeds?' vroeg Marijn nieuwsgierig.

De padre glimlachte, maar gaf geen antwoord. In plaats daarvan keek hij door het raam de duisternis in. Het was alsof Marijn het antwoord zelf moest raden.

Een halfuur daarvoor was de avond gevallen. De hele middag was het blijven regenen en toen het eindelijk ophield, was het te laat om door te vliegen. Daarom had de missionaris de jongen uitgenodigd om op de missiepost te overnachten. Als het weer morgen niet tegenviel, kon hij verder.

In de loop van de dag had de padre hem de hele missiepost laten zien. Marijn had ook een aantal uur in het kleine klaslokaaltje doorgebracht. De kinderen bleven hem maar vragen stellen. Ze wilden vooral van alles weten over de plek waar hij vandaan kwam. Met plezier had Marijn daarover verteld, maar zijn gedachten waren nooit ver van Talitha geweest.

Toen hij de missionaris tijdens het avondmaal van zijn plannen op de hoogte had gebracht, had die heel afwijzend gereageerd. Het gebied vanaf de missiepost tot ver voorbij de grens met Ecuador was bewoond door Jivaro's.

Na het eten was de man getailleerd beginnen te beschrijven hoe de koppensnellers te werk gingen.

'Zoiets gebeurt nu toch niet meer!' zei Marijn ongelovig.

De man gaf nog steeds geen antwoord. In plaats daarvan schoof hij de jongen een krant onder de neus. Marijn keek naar de datum. Dat blad was anderhalve maand oud. Met een knokige vinger wees de missionaris hem een artikel aan. DRIE AMERIKANEN BRUTAAL AFGEMAAKT DOOR INDIANEN! was de titel.

Razendsnel las de jongen de tekst, van de hinderlaag in Ecuador tot en met de openbare verkoop in België.

Pas daarna begon de padre opnieuw. 'Wat daar met die drie Amerikanen gebeurd is, speelde zich niet zo ver af van de plaats waar jij heen wilt. Pas dus maar heel goed op dat je niet eindigt zoals die Engelse collega van mij, wiens hoofd ze daar in jouw land openbaar hebben verkocht!'

Nu was het Marijn die zweeg. Hij wist helemaal niet wat hij ervan denken moest. Overdreef die man nu niet een beetje? Anderzijds verbleef de missionaris hier al meer dan vijftig jaar. Dan mocht je toch wel aannemen dat hij de situatie kende.

22

Zaterdag 7 februari

Diep onder Marijn slingerde de Rio Morona door het donkergroene landschap. De meanders die van links naar rechts kronkelden, vormden één grote aaneenschakeling van haarspeldbochten. Om in vogelvlucht één kilometer ver te komen, moest het water van de rivier er bijna vier afleggen! Wat een geluk dat Marijn kon vliegen en dat hij de Rio Morona niet met een bootje hoefde op te varen. Het zou hem minstens drie dagen tijd hebben gekost.

Vanochtend was hij opgestegen in Puerto America. Toen hij de missiepost verliet, had de padre nog een laatste poging ondernomen om de jongen van zijn plannen af te brengen. Maar Marijn was vastberaden. En de weergoden waren hem vandaag bijzonder gunstig gezind. Zo ver hij kon kijken, zag de hemel er in het noorden helemaal blauw uit.

Marijn vloog boven een gebied waar zo goed als geen westerse nederzettingen meer waren. Als hij op het water een noodlanding moest maken, dan kon hij enkel terugkeren door zijn microlight te demonteren en met de rubberboot de rivier af te varen. Hij had daar wel rekening mee gehouden: aangezien hij geen reservetank benzine meegenomen had, had hij plek voor peddels. Verder had hij ook nog een rugzak mee met een tentje, een hangmat, een slaapzak, een klamboe, voldoende mondvoorraad en de nodige spullen om het in de jungle een tijdje vol te houden.

Toch hoopte hij dat het niet zover zou komen. Hoe veilig zou het zijn om in zijn rubberboot te overnachten? Stel dat de missionaris toch gelijk had met zijn koppensnellers?

Bovendien vloog hij ook over oorlogsgebied. Daar had de missionaris hem gisterenavond eveneens uitgebreid over verteld. Precies drie jaar geleden woedde er op de grens tussen Ecuador en Peru een hevige oorlog. Het gebied dat de twee landen elkaar betwistten, strekte zich op slechts enkele tientallen kilometer links van hem uit. Op dit ogenblik heerste er een gewapende vrede. De onderhandelingen wilden echter niet vlotten en konden elk ogenblik weer afspringen. Van vandaag op morgen kon het wapengekletter opnieuw beginnen. De padre had hem gewaarschuwd dat zelfs gewoon voorbijvliegen door een van de partijen als een provocatie kon worden beschouwd. En dan konden de kogels je snel om de oren vliegen ...

Dat alles had de man met een heleboel krantenknipsels geïllustreerd. De drang van Marijn om eens en voor altijd de waarheid omtrent Talitha te doorgronden was echter zo groot dat hij bij zijn beslissing bleef.

Marijn had uitgerekend dat hij het indianendorpje aan de oever van de Rio Entzacua gemakkelijk in drie uur kon bereiken. In tegenstelling tot de eerste keer dat hij daar was, zou hij nu zonder moeite op het water van de rivier kunnen landen. Ondertussen kende hij de omgeving al, zowel vanuit de lucht als op de grond. Het enige verschil met vorig jaar was dat hij deze keer uit een andere richting kwam. Zijn bestemming was echter gemakkelijk te vinden. De jongen moest gewoon de Rio Morona volgen tot voorbij het kleine havenstadje Puerto Morona in Ecuador en daarna de Rio Entzacua.

Marijn pakte de verrekijker die om zijn hals hing en richtte die in de verte. Zijn berekeningen klopten. In de verte zag hij het stadje liggen. Dat betekende dat hij eindelijk Ecuador had bereikt en dat het gevaarlijkste deel van de tocht al achter de rug was.

De jongen moest opnieuw een beslissing nemen. Ofwel nu landen om bij te tanken ofwel pas bij zijn terugkeer. Hij koos voor het laatste, want hij had nog meer dan genoeg benzine om de laatste dertig kilometer af te leggen en dan terug te keren naar Puerto Morona. Bovendien wilde hij geen tijd meer verliezen. Dus bleef de jongen op dezelfde hoogte doorvliegen.

Terwijl het kleine stadje traag onder hem doorschoof, keek Marijn al uit naar de monding van de Rio Entzacua, waar hij moest afslaan. Dat was nauwelijks tien kilometer hiervandaan. De rivier zou hem naar zijn bestemming brengen. Maar wat stond hem daar te wachten? vroeg de jongen zich af. De definitieve bevestiging dat Talitha overleden was? Hoe hard Marijn ook naar het moment had verlangd, hij zag er opeens wat tegenop. Vooral de manier waarop hij te werk zou moeten gaan, schrikte hem af. En hoe zouden de indianen reageren als hij daar zomaar begon te graven? Want dat was de reden waarom hij ook een kleine opvouwbare schop in zijn rugzak gestopt had.

In de verte zag Marijn de eerste kronkelingen van de Rio Entzacua al opdoemen. Vanaf nu mocht hij naar links beginnen te zwenken. De jongen liet de Rio Morona definitief achter zich en vloog in de richting van een rivier die maar vijftig meter breed was.

Nog een kwartiertje zou het duren voordat Marijn de plaats bereikte waar meer dan vier maanden geleden een Cessna Caravan Amphibian was neergestort. Hij was benieuwd of het wrak vanuit de lucht nog zichtbaar zou zijn. Als dat niet het geval was, dan was er nog altijd het indianendorp aan de rivier een kleine kilometer verderop. Daar kon hij zeker niet naast kijken.

Marijn dacht terug aan het moment waarop het aapje van Talitha de rivier in rende, en aan de roze dolfijn die even later bovenkwam. Wat betekende dat?

Hoe dan ook, voordat hij daar ook maar iets ondernam, moest hij eerst contact zoeken met de indianen. Hij zou opnieuw proberen te achterhalen wat er eigenlijk met Talitha was gebeurd. Dat leek hem nog steeds de beste aanpak. Als hij er deze keer tenminste in slaagde zonder tolk een gesprek met hen te voeren.

Toen werd de aandacht van Marijn opnieuw getrokken door het landschap onder hem. Hij wist waar hij was. Hij had zijn bestemming bereikt.

De jongen zwenkte naar links en daalde toen af naar de plek waar het vliegtuigwrak lag. De natuur had al goed haar best gedaan, maar de geelblauwe kleuren van dat vliegtuigwrak waren toch nog zichtbaar.

Marijn juichte. Eindelijk was hij hier weer. En nu naar het dorp! De hutten konden niet ver meer zijn. Elk moment konden ze aan de rand van het water opdoemen.

Toen schrok Marijn. De plek waar het dorp had moeten staan, was nu een grote zwartgeblakerde vlakte. Om een of andere reden waren de hutten in brand gestoken en verwoest. Wie had dat gedaan en waarom? En wat was er met de indianen gebeurd? De vragen spookten door het hoofd van Marijn. Maar tijd om naar antwoorden te zoeken kreeg de jongen niet. Het moment om te landen was aangebroken.

De jongen zocht een plek in het water die lang genoeg was en geen zandbanken bevatte. Een eind verderop had hij die plek snel gevonden. Marijn zwenkte tot de rivier recht voor hem lag. Toen liet hij zich snel zakken. De landing op het water leek niet de minste problemen te zullen opleveren. Nog enkele meters en hij zou het water raken. Precies op dat moment hoorde hij enkele geweerschoten en een doffe inslag achter zich op het water.

Meteen trok de jongen opnieuw op. Iemand had het blijkbaar op hem gemunt. Als hij op het water geland zou zijn, was hij een levende schietschijf. In de lucht was hij een pak sneller.

Opnieuw weerklonken enkele geweerschoten, maar die konden hem niet meer raken. Marijn was veilig achter de bomen verdwenen. Daar werd hij opeens de geur van benzine gewaar.

De jongen keerde zich met een ruk om en zag dat zijn benzinetank geraakt was. De weinige brandstof die hij nog had, liep zienderogen weg. Nog enkele minuten en zijn motor zou stilvallen.

Marijn zou dus opnieuw moeten landen, maar dan wel liefst zo ver mogelijk hiervandaan. Hij wilde geen tweede keer beschoten worden.

Snel zocht hij naar een nieuwe plaats om zijn microlight veilig op het water neer te zetten. Veel tijd kreeg hij daar niet voor: met een doffe knal viel de motor van zijn toestel stil.

23

De bomen kwamen razendsnel dichterbij. Net als het water onder hem. Marijn wist nog altijd niet of er geen zandbanken waren en of dat eind water wel lang genoeg was. En hij kreeg maar één kans om de klus te klaren …

Het angstzweet brak de jongen uit. Zou Talitha dat ook hebben meegemaakt toen ze hier vlak bij neerstortte met dat vliegtuig? Zou Marijn ooit nog te weten komen wat er daarna was gebeurd? En of ze nog leefde?

Al die vragen flitsten door het hoofd van de jongen toen de rubberboot onzacht het water raakte. Gelukkig weerstond de boot de schok. Nu moest Marijn zo lang mogelijk wegblijven van de oever en zo ver mogelijk van overhangende takken die de vleugels van de microlight konden beschadigen. Zou hij tijdig tot stilstand komen?

Het vliegtuigje minderde vaart, maar de bocht in de rivier kwam snel dichterbij. Het lukte Marijn amper om bij te sturen. Toen zag hij vlak bij de oever een klein strandje. Dat was de enige plaats waar hij ongedeerd tot stilstand kon komen. Marijn mikte. De ondiepten kwamen nu snel dichterbij. Hoe ver kon hij daar doorglijden? Het moment van de waarheid brak aan. Hij botste tegen de kant, maar schoof nog een eind door. Het was alsof hij met een mes door zwarte boter gleed. Om dan plotseling tot stilstand te komen. Zo goed als ongedeerd. Toen zag hij waarom alles zo gesmeerd verliep. De oevers van de rivier en het strandje waren bedekt met een laag zwarte olie.

Anderhalf uur later

Alles was netjes opgeruimd. De vleugels van de microlight waren gedemonteerd en opgevouwen. Marijn had ook de zware motor en de lege benzinetank veilig aan de kant gekregen. Bij een rots had hij alles samen gezet en dan met grote bladeren gecamoufleerd. Je moest er werkelijk vlak langs lopen om er ook maar iets van te merken. Zijn rugzak met bagage en de peddels lagen in de rubberboot. Die had hij niet ver van de oever vastgemaakt en ook met groen bedekt. Als hij straks terug kwam, stond alles klaar om te vertrekken. Als hij ondertussen niet gedwongen werd zijn plannen te wijzigen.

Het plan van Marijn was om te voet naar het uitgebrande dorp te lopen. Zo dicht bij zijn doel zou hij zich niet laten ontmoedigen. Degene die daar zat, mocht dan wel gewapend zijn, de jongen was vastbesloten om de situatie te doorgronden. Letterlijk!

Met zijn kleine spade in de hand vertrok hij in de richting van het dorp. De jongen probeerde zo veel mogelijk de oever van de rivier te volgen, want dat was de enige weg die voor hem openlag. Bovendien onttrokken de overhangende takken van de bomen hem ook aan elk vijandelijk oog. Voorlopig toch.

Zijn eerste zorg was veilig aan te komen. Hij vroeg zich dan ook af hoe hij het ommuurde veldje met de platte stenen, dat hij aanvankelijk voor een begraafplaats had aangezien, zo ongezien mogelijk kon bereiken. Degene die hem beschoten had, was hem zeker niet gunstig gezind. Sinds de noodlanding had hij zijn hoofd gebroken over de vraag wie dat kon zijn.

Aanvankelijk dacht hij aan soldaten uit het oorlogsgebied. Maar dat lag ondertussen al veel te ver weg. Bovendien leek zijn microlight helemaal niet op een spionagevliegtuig.

Jivaro-indianen konden het ook moeilijk zijn. Dit was hun grondgebied niet meer. Die gebruikten trouwens nog pijl en boog, in plaats van geweren. Of waren het misschien de indianen die hier woonden en die zich wilden wreken? Maar de vorige keer waren die mensen zo vriendelijk geweest. Hij was hier toen ook met zo'n vliegtuigje geland.

De conclusie van Marijn was dat het buitenstaanders waren. Mannen die hier met iets bezig waren dat het daglicht niet kon verdragen. Illegale houthakkers of goudzoekers. Misschien hadden zij ook het dorp in brand gestoken en de bewoners ervan verjaagd? Of nog erger, afgemaakt. Als dat zo was, dan stond Marijn voor een geduchte vijand.

Het ogenblik daarop wist hij het. De olie! De vervuiling van de rivier moest er op een of andere manier voor iets tussen zitten! Voorlopig wilde hij eerst een heel ander raadsel oplossen.

Marijn liep nog een tijdje door, tot hij vlak bij de plek was waar daarvoor het dorp was. Vanaf hier boden de bomen en het struikgewas hem geen dekking meer. Nu moest hij sluipend verder gaan. Hoewel het maar een paar honderd meter naar het ommuurde veldje was, was het wel open ruimte. Het zou niet gemakkelijk zijn om er onopgemerkt te komen. Toch zette hij door.

Al snel was sluipen niet meer voldoende. Het gras was niet hoog genoeg meer. Vanaf nu moest hij als een slang over de grond kruipen. Elke meter die hij zo op zijn buik aflegde, duurde tergend lang, maar de jongen wilde geen enkel risico nemen. Als hij nu beschoten werd, konden ze hem gemakkelijk treffen.

Elke minuut die verstreek, leek een eeuwigheid te duren. Na een klein halfuur had hij veilig en wel de toegang tot het veldje bereikt. Wat een opluchting!

Zodra Marijn zich in de ommuurde ruimte bevond, zat hij beter. Daar werd hij aan het oog onttrokken zo lang hij op zijn buik bleef liggen.

De jongen keek rond. Overal lagen platte stenen met daarnaast een rechtopstaande stok waar een lapje stof aan vastzat. De steen met de stof van Talitha had hij snel gevonden. Het lapje was bijna verkleurd, maar hij herkende het nog. Ook de steen. Zo voorzichtig mogelijk schoof hij die opzij. Daarna trok hij de stok uit de grond. Om geen lawaai te maken besloot hij maar met zijn handen te graven.

Op het moment dat hij wilde beginnen, aarzelde hij nog even. Wat stond hem te wachten als dit toch een graf was? Hij bande die gedachte uit zijn hoofd en begon met zijn handen aarde en stenen te verplaatsen. Voor de zoveelste keer die dag zou zijn geduld opnieuw op de proef worden gesteld. Het werk vorderde extreem traag. Het zweet droop van zijn gezicht. Voortdurend werd hij geplaagd door insecten. Maar de jongen gaf niet op. De put die voor zijn neus lag, werd dieper en dieper.

Ondertussen verdween de zon stilletjes achter de bomen. Lang zou het niet meer duren voor de avond viel. De kuil die Marijn in al die tijd met zo veel moeite had gegraven, was nog geen halve meter diep. De moed zonk hem in de schoenen. Straks zou er niet genoeg licht meer zijn om duidelijk te zien of er iets in lag.

Het ogenblik daarop stootte de jongen met zijn vingertoppen op iets hards. Eerst vreesde hij dat het een bot was. Bij nader onderzoek bleek het de rotsachtige bodem te zijn. Heel snel haalde de jongen de laatste hopen steen en aarde op. En even later kon hij tot zijn grote vreugde vaststellen dat hij op rots zat. Dieper hadden die indianen nooit kunnen graven. Dat betekende dus dat er onder de steen niemand begraven lag, concludeerde Marijn dolgelukkig. Axelle B'Kerr had dan toch gelijk. Dit was helemaal niet het graf van Talitha. Maar waar was ze dan wel?

Tijd om lang over die vraag na te denken kreeg Marijn niet. De jongen hoorde in de verte stemmen. Mannenstemmen. Hij kon niet onmiddellijk vaststellen welke taal het was. Maar het was wel duidelijk dat ze dichterbij kwamen.

Onmiddellijk pakte hij al zijn spullen bij elkaar en snel sloop hij langs het muurtje naar de uitgang. Dat had hij beter niet kunnen doen.

Net toen Marijn buiten kwam, hoorde hij in de verte een kreet. Ze hadden hem gezien! Kort daarop werd er op hem geschoten. Kogels ketsten tegen de stenen, maar raakten hem niet. Gedekt door het muurtje kon hij wegrennen in de richting van de rivier. Er volgden nog meer schoten en in zijn haast om weg te komen, verloor de jongen zijn spade. Enkele seconden later bereikte hij de berm van de rivier en liep hij het water in.

Op het ogenblik dat de eerste achtervolger de berm bereikte, dook Marijn onder. Nog voordat zijn achtervolger goed kon mikken, was hij al in het groene water verdwenen. Marijn besefte dat hij nu de duik van zijn leven moest maken. Hij moest zo lang mogelijk onder proberen te blijven en tegelijk zo ver mogelijk proberen weg te zwemmen. Maar welke kant moest hij op? Hij kon immers niets zien onder water.

Toen voelde hij opeens een glad lichaam dat onder hem heen dook. De jongen pakte het vast en de huid voelde aan als een hardgekookt ei. Dat kon alleen maar een dolfijn zijn. Het dier kwam hem te hulp! Marijn pakte de twee vinnen vast en het dier trok hem mee. Op die manier zou hij het onder water niet alleen veel langer uithouden, maar hij zou ook een veel grotere afstand kunnen afleggen.

De dolfijn zwom een heel eind ver. Maar op het ogenblik dat de jongen dringend lucht nodig had, moest hij het dier loslaten en naar boven zwemmen. Nog geen meter verder brak hij door de waterspiegel en kon hij zijn longen vol zuigen. Tegelijk keek hij achterom. De plek waar hij in het water was gegaan, lag een heel eind verder verscholen achter een bocht in de rivier. Zijn achtervolgers konden hem dus niet meer zien. Daar was het ondertussen ook veel te donker voor.

Gerustgesteld zocht Marijn zijn redder of redster, maar het dier had hem alweer verlaten. Jammer, hij had die rivierdolfijn dolgraag willen bedanken. Het dier had hem niet alleen gered, maar hem ook nog een heel eind dichter bij zijn rubberboot gebracht.

Meteen zwom de jongen naar de kant. Daar keerde hij op zijn stappen terug tot hij uiteindelijk de plaats bereikte waar hij zijn vliegtuigje had achtergelaten. Lang zou het niet meer duren voordat het helemaal donker werd. Er restte hem dus maar weinig tijd om zich op de nacht voor te bereiden.

Dat kon de blijdschap van de jongen niet verminderen. Het voorbije uur was hij ongelooflijk veel wijzer geworden. Talitha was niet gestorven. Of toch niet zoals hij al die tijd had gedacht. Wat was er dan gebeurd? Waar was ze dan? En hoe kon hij haar op het spoor komen? Allemaal vragen waar hij de hele nacht een antwoord op kon zoeken …

24

Zondag 8 februari, 's ochtends

Het pad bracht Marijn dwars door het regenwoud. Aan de opschietende begroeiing was duidelijk te zien dat het al enkele maanden niet echt meer gebruikt werd. Daarom had het enige tijd geduurd voordat hij het begin ervan gevonden had.

Nu hij het een tijdje volgde, vroeg Marijn zich af aan welke gevaren hij zich blootstelde. Als hij zich niet vergiste, bevond hij zich in het gebied van de beruchte Jivaro-indianen. De jongen moest even slikken. Maar als hij het spoor van Talitha wilde terugvinden, was dit de enige weg.

Marijn had die nacht niet veel geslapen. Daar waren niet alleen zijn natte kleren, de vele insecten en de geluiden van het woud verantwoordelijk voor. Zoals hij had verwacht, had hij nog uren liggen piekeren. Blijkbaar waren hier in de voorbije maanden heel erge dingen gebeurd. Het dorp dat afgebrand en verlaten was. De rivier die vervuild was door olie, waardoor de hele omgeving voor mens en dier bijna onleefbaar was. Mannen die op alles schoten wat bewoog. Het kon bijna niet anders dat al die dingen met elkaar verbonden waren. Maar het was gissen wat dat verband precies was.

Uiteindelijk had de vermoeidheid de bovenhand gekregen en was de jongen toch in slaap gevallen. Het was toen dat hij een vreemde droom kreeg.

'Ik heb jou gered,' had Talitha in zijn droom geroepen. 'Nu is het jouw beurt!'

Marijn kon haar amper zien tussen het struikgewas. En zodra hij haar herkend had, was ze naar het water gerend en in een roze dolfijn veranderd.

Toen Marijn wakker schoot, was het ochtendgloren net begonnen. Het eerste licht was voldoende om vlak bij de oever een roze dolfijn boven water te zien komen. Was dit dier zijn droom binnengedrongen, zoals de indianen hier stellig geloven? Was dit het dier dat hem gisteren had gered? Was dit misschien ook de dolfijn die Marijn hier vorig jaar in september had gezien? Of was dit dier Talitha?

Don Otorino zou er niet aan twijfelen. Het was vast en zeker Talitha. Marijn had echter nog altijd moeite om dat te geloven. Toch wilde hij de droom niet zomaar als fantasie afdoen. Als er ook maar één enkel spoor naar Talitha leidde, kon het best zijn dat het aangewezen werd door een roze dolfijn of door een ander dier dat haar genegen was. Marijn herinnerde zich opnieuw hoe het aapje van Talitha vorig jaar de rivier wilde oversteken. Even later was er een roze dolfijn boven water gekomen. Lag er aan de overkant van de rivier misschien iets dat hem verder zou kunnen helpen?

Het ogenblik daarop was Marijn uit zijn hangmat gesprongen. In geen tijd had hij zich klaargemaakt. Hij wilde die gewapende mannen absoluut voor zijn. Met zijn rubberboot was hij de rivier overgestoken. Nadat hij zijn vaartuig opnieuw had verborgen, was hij langs de oever aan de andere kant van het water teruggekeerd in de richting van het dorp. Tot hij bij de plaats kwam die het aapje waarschijnlijk had willen bereiken. Na enig zoeken vond hij een overwoekerd pad dat het regenwoud in liep. Het was dit pad dat hij nu al enkele kilometers volgde.

In de schaduw was het nog altijd frisjes. De ochtendnevel was bijna opgetrokken en de opkomende zon probeerde met zijn stralen door het groen te dringen. Straks zou het ook hier warmer worden. Tegelijk zou alles rondom hem weer opleven en openbloeien. Alles zou opnieuw in beweging komen en … Marijn bleef opeens stilstaan. Er was iets. De jongen keek schichtig om zich heen. Hij had de indruk dat hij niet meer alleen was. Werd hij misschien gevolgd? Nee, anders hadden die mannen al op hem geschoten.

De jongen keek opnieuw voor zich uit. Hij wilde net verder gaan toen er uit het struikgewas een indiaan tevoorschijn kwam. De man was beschilderd met rode en zwarte verf. Oorlogskleuren? Net zoals Marijn hield hij in zijn handen een machete vast. Een prachtinstrument om iemand een kopje kleiner mee te maken.

Na hem kwamen er van alle kanten indianen naar voren. Allemaal beschilderd en gewapend met speer en pijl en boog. De punten ervan waren op hem gericht.

Ondanks zijn hachelijke toestand probeerde de jongen vriendelijk te glimlachen en hen te begroeten: 'Buenos días. Goedemorgen.'

Het gelaat van de indianen bleef echter bloedernstig en de groet van Marijn werd op geen enkele manier beantwoord. Het ogenblik daarop stapten ze naar hem toe.

Enkele uren later

Ook dit dorp lag aan een rivier. Die was helemaal niet zo breed: tien, hoogstens vijftien meter. Aan weerszijden stonden hoge bomen.

De nederzetting zag er ook heel anders uit dan het dorp dat een twaalftal kilometer hiervandaan was afgebrand. Dit waren duidelijk andere indianen. Waarschijnlijk de gevreesde Jivaro's.

Toch hadden ze Marijn geen kwaad gedaan. Nadat ze zwijgend zijn rugzak hadden doorzocht, hadden de indianen die gewoon teruggegeven. Daarop gebaarden ze dat hij mee moest komen.

Omgeven door zeven krijgers was de jongen het pad urenlang blijven volgen, totdat hij uiteindelijk bij dit dorp aankwam. Nu werd hij meegevoerd naar een grote hut, die blijkbaar dienst deed als vergaderruimte.

Alle bewoners waren er aanwezig. Ze zaten bijna allemaal op banken, die tegen de muur stonden. Geen van hen glimlachte ook maar even.

Marijn werd naar het midden van de hut geleid. Hij wist niet of hij mocht spreken of dat het beter was om te zwijgen. Was er hier trouwens iemand die Spaans begreep? Daarom besloot hij maar dat het beter was om af te wachten.

De acht mannen die tegenover hem op een bank zaten, sprongen plots op en kwamen in een rij naar hem toe. Ze droegen allemaal traditionele kleren en hadden elk een vervaarlijke speer in de hand.

Op enkele meters van hem begonnen ze aan een wilde dans, terwijl ze nog steeds naast elkaar stonden. Ze slaakten kreten die ze bleven herhalen. Het ene moment sprongen ze naar Marijn toe, wild zwaaiend met hun speer. Daarna deden ze weer een stap achteruit. Het was alsof ze hem met een schijngevecht wilden testen.

De eerste keer schrok de jongen heftig. Maar toen hij het spel doorhad, voelde hij zich meer gerust. Toch wist hij nog altijd niet hoe het met hem zou aflopen. Als de indianen echt vijandelijke bedoelingen hadden, dan hadden ze die wellicht al uitgevoerd, bedacht hij.

Dat heen en weer springen bleef nog minutenlang duren. Toen hield het even plotseling op als het begonnen was. De indiaan die zich in het midden van de rij bevond en die de hele tijd oog in oog met Marijn had gestaan, liep naar de jongen toe. Hij was de oudste indiaan van allemaal.

'Bienvenidos. Welkom,' zei hij lachend. 'Ik verwachtte je!'

Daarop schudde hij de jongen heftig de hand.

25

'De Jivaro's? Koppensnellers? O nee, dat zijn ze nooit echt geweest. Dat waren de blanken. Echt waar!'

Marijn kon bijna niet geloven wat hij hoorde. Maar het moest wel. Heriberto, de jongste zoon van de dorpssjamaan, de oude man die Marijn als stamoverste had verwelkomd, zou er niet om liegen.

Een halfuurtje geleden hadden ze kennisgemaakt. Heriberto was de enige die vloeiend Spaans sprak en een beetje had gestudeerd. Begin dit jaar was de man naar zijn dorp teruggekeerd en aangesteld als onderwijzer. In de kleine hut die als klaslokaal diende, zat Marijn nu naar hem te luisteren.

'Nee,' herhaalde Heriberto, die nog geen vijf jaar ouder was dan Marijn. 'Wat de westerse wereld bijna een eeuw lang over ons heeft gehoord, is helemaal de waarheid niet. Neem om te beginnen de naam 'Jivaro'. In onze oren klinkt dat als een scheldwoord. Het is een verbastering van onze echte naam. En daar zijn de Spanjaarden verantwoordelijk voor.'

'Hoezo?' vroeg Marijn.

'Wel, onze echte naam is altijd "Shuars" geweest. Wij behoren tot de stam van de Shuar-indianen.'

'Wat is dan het verband met de naam "Jivaro"?'

'Dat zal ik je meteen laten zien,' zei Heriberto, en hij begaf zich naar het bord vooraan. Hij nam een stukje krijt en schreef een rij woorden op. SHUARS, SHUARO'S, SHIVARO'S, JIVARO'S ... 'Heb je het nu door?'

'Ja,' riep Marijn, 'jij bent inderdaad een goeie leraar!'

'Zorg er dus voor dat je nooit ofte nimmer een van de onzen aanspreekt met "Jivarito", het verkleinwoord, want dan loop je misschien toch nog kans een kopje kleiner te worden gemaakt,' lachte Heriberto.

'Dat meen je niet!'

'Nee, het is een grapje, maar het zou ons toch pijn doen.'

'En dat andere,' vroeg Marijn.

'Die koppensnellerij? Wel, zoals ik al zei, waren de blanken veel erger dan wij.'

'Hoezo? Jij gaat toch niet beweren ...'

'Toch wel! Toen de eerste blanken hier anderhalve eeuw geleden arriveerden, hadden wij die kwalijke reputatie helemaal niet. Wij waren bijzonder gastvrij. Totdat de blanken een bepaald aspect van onze religie in het oog kregen. Zoals overal in het Amazonegebied had je ook hier stammentwisten. Daarbij vielen soms doden. Om te vermijden dat de overwinnaar lastig zou worden gevallen door de geest van de dode, voerde men een ritueel uit. Dat gebeurde trouwens met heel veel respect ...'

'... en bestond uit het verkleinen van het hoofd van de dode,' vulde Marijn aan.

'Inderdaad. Toen die eerste blanken de tsantsas in onze heiligdommen zagen hangen, wilden ze die absoluut als souvenir mee naar huis nemen.'

'Zoals ze dat in dezelfde periode in Egypte deden met mummies.'

'Precies! En toen de eerste blanken in Europa en Amerika met de tsantsas uitpakten, wilde iedereen ze in zijn verzameling hebben. De vraag naar tsantsas nam fors toe en was algauw groter dan het aanbod. Tegelijkertijd groeide ook de mythe van de bloeddorstige Jivaro's. Iedereen die op zoek ging naar tsantsas, werd beschouwd als een held. Ze durfden het immers aan die 'vreselijke' indianen te trotseren. Maar het oerwoud zat vol andere gevaren. De avonturiers moesten niet alleen koppensnellers overwinnen, maar ook heel wat vraatzuchtige dieren. Het is trouwens uit die tijd dat die wilde verhalen dateren. Onder andere van mensen die in het water vallen en die onmiddellijk levend worden opgegeten door piranha's.'

Marijn schoot in de lach. Hij wist uit eigen ervaring dat die verhalen totaal uit de lucht gegrepen waren.

'Het dramatische van de hele situatie,' zo ging de indiaan verder, 'was dat wij helemaal niet aan die vraag konden voldoen. Wij wilden geen mensen opofferen, zelfs onze vijanden niet, om hun hoofden aan die blanken te verkopen.'

'En toen zijn de blanken er zelf mee begonnen!'

'Klopt! Vanaf het einde van de negentiende eeuw werd er door gewapende blanken op ons en op andere indianen jacht gemaakt. Zelfs de hoofden van andere blanken waren niet meer veilig voor die handel. Ook kinderen bleven niet gespaard. Totdat de overheid optrad. Vanaf dat moment liepen we geen risico meer. Maar om aan de blijvende vraag vanuit Amerika en Europa te kunnen voldoen, werd er al snel overgeschakeld op de hoofden van lijken en apen. Tot in de jaren dertig van vorige eeuw werd er voor tsantsas grof geld betaald. Zelfs nu nog.'

Marijn moest denken aan het krantenartikel over de veiling in België. De mythe leefde blijkbaar nog altijd voort.

'Vandaar dat velen van ons nog altijd op hun hoede zijn voor blanken. Die worden door ons nog steeds "pelacaras" genoemd. Dat wil zeggen "zij die het vel van je hoofd afstropen". Als wij onze kinderen angst willen aanjagen, dan zeggen we: "Pas op, of de pelacara zal je komen halen!" Want die blanken sneden niet alleen onze hoofden af, ze verwijderden ook het vet uit ons lichaam.'

'Het vet uit jullie lichaam?' vroeg Marijn heel verwonderd. 'Waarom deden zij dat?'

'Om dat als brandstof te gebruiken voor petroleumlampen!'

‘Nee!’

‘Toch wel! Maar vandaag gaan de blanken op een veel grotere schaal te werk. Om hun auto’s en hun fabrieken te laten draaien, zijn ze begonnen met het stropen van Moeder Aarde.’

‘Echte petroleum!’

‘Inderdaad, en de gevolgen daarvan kun je al op veel plaatsen zien. Ze morsen immers met dat goedje alsof het helemaal niet schadelijk is.’

Marijn wist onmiddellijk wat Heriberto bedoelde.

‘Begin december is in het noorden een pijpleiding gesprongen. Toen kwam heel wat olie in de Rio Entzacua terecht. Een van onze buurstammen was daar getuige van. Zij wilden niet meer dat er ook in hun gebied naar olie zou worden gezocht. Daarom waren ze van plan vreedzaam te protesteren. Ze hadden zelfs enkele journalisten uit Amerika uitgenodigd. Maar het leger en de politie heeft toch ingegrepen. Niemand weet wat er precies is gebeurd. Maar de dood van die Amerikanen werd in elk geval in de schoenen van de indianen geschoven.’

Ook dat bericht had Marijn in de krant gelezen.

‘Begrijp je nu waarom wij zo op onze hoede zijn voor blanken? Wij willen ook niet dat er hier naar olie wordt gezocht, laat staan geboord.’

‘Was dat de reden waarom ik aanvankelijk zo vijandig werd onthaald.’

‘Ja, maar ook omdat jij van de kant van de Rio Entzacua kwam.’

‘Hoezo?’ vroeg Marijn.

‘Welja, sinds het dorp achtergelaten werd, zitten er daar in de buurt regelmatig illegale goudzoekers en andere gewapende mannen. Die hebben meestal niet graag dat je hen komt storen. Begrijp je?’

Marijn knikte. Hij wist precies waar Heriberto het over had.

‘Wat is er nu eigenlijk met dat dorp gebeurd?’

‘Heel precies weet ik het niet, want in december zat ik nog in Quito. Maar naar ik heb gehoord, konden de bewoners door die olievervuiling niet langer in hun dorp blijven. Van het water van de rivier mocht niet meer worden gedronken en bijna alle vissen verdwenen. Daarop werd het dorp met geweld ontruimd. Er werd zelfs niet geaarzeld om hun hutten in brand te steken.'

Marijn moest opnieuw aan de indianen denken die hem nog geen vijf maanden geleden zo gastvrij ontvangen hadden in hun dorp. Hoe kon alles hier toch snel veranderen?

'En dan heb ik nog een vraag,' riep Marijn, die nu zijn belangrijkste vraag kon afvuren. 'Heb jij enig idee of er in de loop van de maand september een meisje hiernaartoe is gekomen?'

Er viel een korte stilte.

'Dat is een vreemde vraag! Waarom wil je dat weten?'

'Omdat zij de ware reden is waarom ik hier ben. Ik zoek haar.'

Heriberto krabde even in zijn haar.

'Wel, om eerlijk te zijn kan ik op die vraag geen antwoord geven. Zoals ik al zei, was ik hier niet op dat ogenblik. Ik heb er in elk geval niets over gehoord. Maar als dat meisje hier voorbijgekomen is, dan moet mijn vader dat zeker weten. Kom, we zoeken hem meteen op om het te vragen. Als hij tenminste al terug is van de jacht.'

Daarop verlieten Marijn en de indiaan het schoolgebouwtje en begaven ze zich naar het centrum van het dorp.

Voor de tweede keer die dag betrad de jongen de grote hut. In tegenstelling tot de eerste keer was hij nu helemaal niet bang meer. En dat zou bij zijn aankomst ook niet het geval zijn geweest, als hij van dat ongewone verwelkomingsritueel op de hoogte was gebracht. Iedereen die bij de Shuar-indianen op bezoek kwam, moest die bizarre ceremonie ondergaan.

Marijn had wel nog steeds niet goed begrepen waarom Nunkui, de vader van Heriberto, gezegd had dat hij hem verwachtte. Dat was duidelijk de reden waarom de jongen gastvrij was ontvangen.

Hoewel Nunkui na de ceremonie vriendelijk de hand van Marijn had geschud, had de jongen hem toen niet onmiddellijk durven te vragen wat hij bedoelde. Vervolgens was Heriberto als tolk opgetreden en had hij de jongen aan alle dorpsbewoners voorgesteld. Ondertussen was de dorpschef met de andere dorpleiders op jacht vertrokken. En ze waren nog steeds niet teruggekomen. Marijn moest dus nog even langer wachten voor hij antwoord kreeg op zijn vraag.

'Misschien kunnen we het aan een aantal andere bewoners vragen,' stelde Heriberto voor. 'Die weten waarschijnlijk ook wel of hier een vreemdeling voorbij is gekomen.'

Geen van de indianen die Heriberto aansprak, kon een positief antwoord geven op de vraag van Marijn. In geen maanden was er nog een blanke of een indiaan of wie dan ook uit die richting hierheen gekomen. Dat kwam bij Marijn als een mokerslag aan.

Toch wilde de jongen het niet meteen opgeven. Gedetailleerd beschreef hij hoe Talitha eruitzag en Heriberto vertaalde alles voor hem. Er kwam nog steeds geen positieve reactie. Tenzij ... Enkele jongens en meisjes begonnen te giechelen. Wat Marijn beschreef, was geen mens geweest, maar een bufeo.

26

Een halfuur later

'Ja, die bufeo is hier inderdaad geweest. Dezelfde dolfijn die jou gisteren heeft gered. In mijn droom vannacht heb ik haar herkend. Ik heb gezien hoe ze je heeft geholpen. Je moet een heel bijzondere band met bufeo's hebben. Daarom dat we je de toegang tot ons dorp niet konden verbieden. Begrijp je nu waarom je hier welkom bent?'

Marijn was stomverbaasd toen hij de woorden van Nunkui hoorde. De vader van Heriberto, die net van de jacht was teruggekeerd, had hem meteen het antwoord op zijn vragen gegeven. Maar de jongen wilde nog meer zekerheid.

'Dus eind september is ze hier geweest.'

'Absoluut!' antwoordde Nunkui. 'Tijdens het feest bij volle maan is ze uit het water gekomen. De hele nacht heeft ze met de jongens gedanst. Ze waren allemaal gek op haar. Maar 's ochtends is ze weer bufeo geworden en daarna verdwenen.'

'En is ze daarna nog teruggekeerd?' vroeg Marijn hoopvol.

'Nee, tijdens de volgende feesten bij volle maan hebben we haar niet meer gezien.'

'Waar zou ze dan kunnen zijn?'

'In de Encante natuurlijk, ver over de bergen. Als je haar wilt zien, zul je moeten wachten tot de volgende volle maan. Misschien komt ze dan weer dansen op ons feest. Maar misschien ook niet. Dat weet je nooit op voorhand.'

‘Is er echt geen ander middel om haar te vinden?’

‘Nee. Tenzij …’

Even aarzelde de sjamaan. Hij keek naar zijn zoon, die zijn hoofd schudde. De oude man besloot echter geen rekening te houden met de stilzwijgende afkeuring van Heriberto.

‘Nee,’ herhaalde Nunkui. ‘Tenzij je bereid bent met de geesten in contact te treden. Waarschijnlijk zijn ze je gunstig gezind en zullen ze je naar de plaats brengen waar het meisje zich bevindt.’

Om Talitha terug te vinden was Marijn tot heel veel bereid. Desnoods wilde hij zelfs afdalen naar de hel. En de afwijzende reactie van Heriberto deed hem vermoeden dat het contact met de geesten geen lachertje was. Hoewel hij helemaal niet wist wat er hem te wachten stond, stemde Marijn meteen in. Nu hij Talitha eindelijk op het spoor was gekomen, mocht hij geen enkel middel onbenut laten. Zeker niet als het hem kon helpen haar te vinden.

Die avond

Overal in het dorp brandden fakkels en de geluiden van het regenwoud werden overstemd door het eentonige geroffel van tamtams. Trommels, die bespannen waren met de huiden van pekari’s, werden zonder ophouden bespeeld. Tot ver buiten het dorp was het geroffel hoorbaar. De geesten die door de duisternis van de nacht ronddwaalden, moesten op de hoogte worden gebracht. Het ritueel dat hen nodig had, zou straks van start gaan.

In de loop van de middag had Heriberto nog enkele keren geprobeerd Marijn ervan te overtuigen niet op het voorstel van zijn vader in te gaan. Het zou een veel te zware beproeving zijn. En de kans dat het bij een westerling zou lukken, was bovendien erg klein. Zelfs bij veel indianen werkte het niet meer. Bij sommigen liep het zelfs verkeerd af. Marijn liep een veel te groot risico zonder enige garantie op slagen. Toch hield de jongen voet bij stuk.

In de late middag was Nunkui met enkele indianen het woud in getrokken. Bij een grote boom had hij een stuk van een liaan die over de stam naar boven kronkelde, afgehakt en meegenomen. In het dorp hadden ze de ayahuasca, want zo werd de liaan genoemd, onder een zware houten hamer geplet. Daarna werd de 'slingerplant van de ziel' in een ketel vol kokend water gegooid. Dit mengsel moest een hele tijd sudderen om de werkzame stoffen in het water te laten oplossen.

Toen Marijn de indianen bezig zag, moest hij denken aan wat hij in de Andes aan de oever van het Titicacameer* had meegemaakt. Daar had hij een brouwsel gedronken op basis van de San Pedrocactus. En dat was hem achteraf zuur opgebroken. Toch vertrouwde hij deze indianen.

Zodra de lichtbruine vloeistof voldoende was afgekoeld om te kunnen drinken, kon de ceremonie beginnen. Marijn zou vijf liter van het bittere goedje moeten drinken en dat zo lang mogelijk in zijn maag moeten houden. Als hij het echt niet langer meer kon inhouden, mocht hij het naar buiten werken. Daarna zou hij nog eens vijf liter water moeten drinken om zijn maag te spoelen. Op dezelfde manier zou ook dat water zijn lichaam moeten verlaten. Geen leuk vooruitzicht als je wist dat je pas dan met de geesten contact kreeg.

Het geroffel hield op. Een aarden schaal met de vloeistof werd vanuit de ketel gevuld en aan Marijn gegeven. De jongen sloot zijn ogen om niet te kokhalzen en dronk. Hij had moeite om de bittere vloeistof door te slikken, maar zette door. Vervolgens werd hem een nieuwe schaal aan zijn lippen gebracht. En zo ging het maar door.

Marijn voelde hoe zijn maag begon op te spelen. Hij had die vijf liter echter nog niet binnen. Hij moest blijven drinken en wat hij binnen

* *Zie 'Offer in de Andes'*

had, proberen binnen te houden. De martelgang was begonnen ...

Zijn buik begon alsmaar harder tegen te werken. Op de duur was het alsof er binnen in hem een heel mierennest aan het rondkruipen was. De jongen vocht om de aandrang alles naar buiten te gooien zo lang mogelijk uit te stellen. De laatste liter moest er eerst nog in. Opnieuw probeerde hij een schaal leeg te drinken. Maar hij kon niet verhinderen dat een deel van die vloeistof langs zijn kin naar beneden liep. Lang zou hij het niet meer volhouden.

Kort daarop brak zijn weerstand. Met hele golven kwam de vloeistof weer naar buiten. Nog nooit had de jongen zich zo ellendig gevoeld. Maar geen van de indianen gaf een teken van afkeuring, integendeel. Ze steunden hem waar ze maar konden.

Toen alles uit zijn lichaam was, kreeg Marijn zuiver water te drinken. Dat ging veel gemakkelijker naar binnen. De jongen voelde hoe zijn maag opnieuw begon op te zwellen. De ene schaal volgde de andere. Zijn buik spande weer als een trommel. Lang zou het nu niet meer duren voordat zijn maag opnieuw protesteerde.

Even later was het zover. Hij mocht nu ook al het water loslaten. Hij voelde zich verschrikkelijk ellendig. Was hij hier maar nooit aan begonnen, dacht hij even. Maar het moment daarop hoopte hij innig dat zijn lichaam genoeg werkzame stoffen had opgenomen, zodat die hem straks naar hogere regionen konden brengen.

Toen ook de laatste gulp water naar buiten kwam, voelde Marijn hoe een loomheid zich van hem meester maakte. De jongen werd opgetild en naar een hangmat gebracht. Heriberto zou over Marijn blijven waken. Hij bette het gezicht van de jongen en stopte hem in. Maar de indiaan, die voor een deel ook in de westerse wereld stond, had zijn twijfels. Hij bleef zich maar afvragen of dit eeuwenoude ritueel de hoge verwachtingen van de jongen wel zou kunnen inlossen.

Het ogenblik daarop sliep Marijn in.

Marijn zag zichzelf naar de rivier rennen, in het water springen en onderduiken. Zo snel hij maar kon, zwom hij verder. Zijn beide voeten werden een staart, zijn armen vinnen en zijn hele lichaam spande zich op tot een glad, gestroomlijnd lijf. Daarop dook hij omhoog en buitelend sprong hij uit het water. In een flits zag hij het dorp achter zich in de verte. Daarna plofte hij weer in de rivier. Eindelijk was Marijn een dolfijn geworden. Een tucuxi die met volle snelheid de rivier afzwom. Hij wist precies waar hij heen moest. Terug naar de Rio Morona en die stroomopwaarts blijven volgen. De tocht verliep razendsnel. Het ene moment zat hij onder water, waar hij ondanks de duisternis heel ver kon zien. Het andere ogenblik zweefde hij door de lucht, waar hij nog veel meer zag. Totdat hij links af moest, opnieuw een rivier op.

Hij bleef maar doorzwemmen, langs kronkels en bochten. Een nieuw dorp doemde in de verte op en voor de eerste keer hield hij halt. De hutten waren bijna helemaal omgeven door een hoefijzermeer. Hier zou hij later terugkeren. Dat wist hij al. Maar nu moest hij verder. Opnieuw met volle snelheid.

Totdat een nieuw dorp aan de samenvloeiing van twee rivieren zijn aandacht trok. Het lag op een kleine heuvel. De helse tocht was echter nog altijd niet ten einde. Hij schoot de linkerkant op. Ver was het nu niet meer. Hij hoorde precies waar hij zijn moest. Het geruis werd alsmaar sterker.

Toen hij zijn bestemming bereikte, kwam hij weer boven. Een waterval met een regenboog erboven voedde zonder ophouden de rivier. Marijn zwom naar het strandje en schoof tegen het zand aan. Hij voelde hoe zijn vinnen weer armen werden, de staart twee benen en hoe zijn lichaam zich ontspande. Hij kon opnieuw staan en stapte uit het water. Van onder de waterval naderden twee figuren. Een oudere vrouw en Talitha. Hij wilde haar tegemoet rennen, maar een stem weerhield hem.

'Luister eerst!'

Hij hoorde hoe Talitha hem toesprak. In de sneeuwwitte jurk zag ze er bijzonder knap uit.

'Marijn,' zei ze, 'dit is Pakiceta.' Ze wees naar de vrouw naast haar, die ook een smetteloos witte jurk aanhad.

'Ze zorgt nog altijd voor mij. Maar lang zal dat niet meer duren. Kom zo snel mogelijk hiernaartoe. Kom me halen. Het wordt steeds moeilijker om helemaal uit de Encante weg te komen. Ik heb daar een deel van mezelf verloren. Help me het terug te vinden. Dan ben ik weer helemaal van jou.'

De stem stierf weg in het geruis van de waterval. Marijn wilde vooruitstormen, maar hij veranderde opnieuw in een dolfijn. Ook de twee wezens ondergingen hetzelfde lot, waarop ze in het water verdwenen. Marijn wilde ze zoeken, maar krachten die veel sterker waren dan de zijne, hielden hem tegen. Uit alle macht probeerde hij zich los te trekken.

Toen hoorde hij in de verte de zachte stem van Heriberto.

'Cuidado, voorzichtig, Marijn.'

Toen besefte de jongen dat hij teruggekeerd was in de echte wereld en hij staakte zijn pogingen om los te komen. Zes handen die probeerden te verhinderen dat hij uit de hangmat viel, lieten hem nu ook los. Marijn opende zijn ogen en voelde zich kotsmisselijk.

27

Dinsdag 10 februari, 's ochtends

Marijn stond op het punt te vertrekken. Vlak voor hem vloeide het groenbruine water van de rivier. Achter hem lag het dorp. Vandaag zou hij de vriendelijke Shuar-indianen verlaten. Maar de jongen zou zeker nog terugkeren. Daar had hij verschillende redenen voor.

In twee dagen tijd had hij hier heel veel meegemaakt en geleerd. Dat had hij te danken aan Heriberto en aan Nunkui. Elk op hun manier hadden ze hem veel bijgebracht en hem verder geholpen. Bovendien stond in dit dorp ook het enige middel om naar de Alexander Snybolov te kunnen terugkeren.

Gisteren waren de indianen zo vriendelijk geweest om zijn microlight te gaan ophalen. Het kogelgat in de benzinetank had Marijn 's avonds al kunnen herstellen. Als hij er ook nog in slaagde de jerrycan met twintig liter brandstof te vullen, kon hij gemakkelijk van hier naar Puerto Morona vliegen. Daar kon hij voltanken en zijn terugtocht verder zetten.

Maar die reis was voor later. Eerst zou hij een heel andere tocht maken. Aanvankelijk was Marijn van plan zijn rubberboot te gebruiken, maar Heriberto had hem dat afgeraden. Met een prauw zou hij veel sneller opschieten. De jongen volgde die raad maar al te graag op.

Een kwartier geleden had hij in het dorp afscheid genomen van Heriberto en zijn vader. Nu nam Marijn voorzichtig plaats in de prauw. Voor iemand die zo'n vaartuig niet gewoon was, was de kans groot dat hij omsloeg. Gelukkig was het voor de jongen niet de eerste keer.

Zachtjes duwde hij zich van de kant weg en peddelde hij stroomafwaarts. Een nieuwe etappe in zijn zoektocht was begonnen. Marijn was vol vertrouwen. Dat was het gevolg van wat hij zondagnacht had meegemaakt.

Een kermis was soms echt een geseling waard, maar voor Marijn was het wel meer dan een geseling geweest. Tot tweemaal toe had hij zijn maag binnenstebuiten moeten keren. Maar wat hij ervoor terug had gekregen, was bijna te mooi om waar te zijn. Als hij zijn visioen mocht geloven, leefde Talitha nog altijd. Ze zat ergens vast en zou moeilijk te bevrijden zijn. Hij meende zelfs te weten waar ze zich nu bevond. Als de waterval en de weg daarheen tenminste echt bestonden. Volgens Heriberto was het niet meer dan een droom. En wat hij in die droom te weten was gekomen, had hij even goed van een waarzegger of een kaartlegster kunnen vernemen. Dat had hem veel leed bespaard.

Gelukkig gaf Nunkui een heel andere uitleg aan de droom van Marijn. Volgens de oude indiaan was de jongen wel degelijk weg geweest. Zijn totemdier, de tucuxi, had zich over hem ontfermd en hem de tocht laten maken. Marijn had zelfs een toegang tot de Encante ontdekt.

Maar de oude indiaan had Marijn ook gewaarschuwd. Meer dan wat hij nu wist, zou hij niet bereiken, integendeel. De jongen moest goed opletten. Als het meisje hem had gevraagd haar te komen opzoeken, was zij niet diegene die hij zocht. Het was alleen maar een bufeo, die haar uitzicht had aangenomen. En het dier was er alleen maar op uit hem naar de Encante te lokken, zodat hij daar voor altijd vastzat.

Vlak voor zijn vertrek had Nunkui hem als waarschuwing nog een verhaal verteld.

'Toen ik nog jong was, vertrok een van onze mannen naar zijn geboortedorp om zijn ouders en familie op te zoeken. Hij was van plan slechts enkele maanden weg te blijven. Groot was de verwondering van Putuka, zijn vrouw, die bij ons was gebleven, toen hij na een week alweer thuiskwam. Hij zei niet veel, maar was wel bijzonder lief voor haar. Elke avond bracht hij voor haar vis mee. Elke nacht waren ze heel gelukkig, al voelden zijn voeten koud en vochtig aan. Maar geen enkel ogenblik dacht Putuka dat het iemand anders kon zijn. Zelfs niet toen hij voor dag en dauw weer op visvangst vertrok. Totdat hij haar op een nacht bijna twee maanden later vroeg om samen met hem naar de rivier te wandelen. Dat wimpelde ze meteen af en ze liet hem alleen vertrekken. 's Ochtends kwam haar man terug, beladen met een hele hoop vlees, het resultaat van wekenlang jagen. Hij was blij dat hij haar eindelijk terugzag. Toen besefte Putuka dat ze al die tijd met iemand anders had geleefd. Een bufeo die de gedaante van haar man had aangenomen, met de bedoeling haar naar de Encante mee te lokken. Wat een geluk dat ze niet had toegegeven. Tijdens diezelfde periode was haar echte man zoals gezegd bij zijn familie gebleven. Ook hij had geluk dat Putuka zo wijs was geweest om niet met de bufeo mee te gaan.'

Marijn snapte de boodschap. De indiaan leefde werkelijk in de overtuiging dat de jongen in de ban was van een bufeo. Maar de jongen deelde die mening niet. Meer dan ooit was hij ervan overtuigd dat hij Talitha nu echt op het spoor was gekomen. Daar had hij trouwens heel wat aanwijzingen voor.

Om te beginnen was het meisje hier eind september bij volle maan voorbijgekomen. Dat kwam precies overeen met de periode waarop ze was vertrokken uit het dorp dat later verwoest werd. Nu hij de indianen een beetje beter kende, snapte hij dat het niet verwonderlijk was dat zij haar voor een bufeo hadden aangezien. Daarna moest Talitha verder zijn getrokken. Vermoedelijk naar een van de dorpen die Marijn tijdens zijn visioen had gezien.

Maar in welke mate moest hij geloof hechten aan dat visioen? Grote delen kwamen immers overeen met wat hij op oudejaarsnacht tijdens die diepe duik had meegemaakt. Toen had hij Talitha en die waterval ook gezien. Hadden de alkaloïden van de liaan niet hetzelfde effect op zijn hersenen als die overdosis stikstof? Zo zou zijn vader ongetwijfeld het visioen verklaren. Marijn was echter mee geneigd de oude sjamaan te geloven. Tenminste, wat het eerste deel van zijn verklaring betrof.

Nadat de jongen gisterochtend de kaart van de streek had opengevouwen, had hij meteen alle rivieren uit de buurt opgezocht. Algauw stelde hij vast dat het traject van zijn tocht als dolfijn overeenkwam met de werkelijkheid. Daar waar de waterval ongeveer moest liggen, passeerde de rivier een bergrug. Een betere plaats voor een waterval was er gewoon niet. De kans dat die dus werkelijk bestond en opgespoord kon worden, was dus groot. En als de rest ook klopte, was dat waarschijnlijk de plaats waar Talitha zat.

Maar wat bedoelde ze toen ze hem vertelde dat het niet gemakkelijk zou zijn om haar uit de Encante weg te krijgen? Zat ze in deze wereld gevangen of in een heel andere wereld? En waarover had ze het toen ze zei dat ze een deel van zichzelf had verloren? Was dat haar lichaam, haar leven, of iets helemaal anders? En dan was er nog die andere figuur, die oudere vrouw. Haar naam klonk Marijn bijzonder vertrouwd in de oren. Pakiceta. Waar had hij die naam nog gehoord? Het was in elk geval nog niet zo lang geleden. Had hij er niet over gelezen aan boord van de Alexander Snybolov?

Kort daarop wist hij het. *Pakicetus*, had hij in een boek zien staan. Dat was de wetenschappelijke naam van een voorouder van de dolfijnen. Een dier dat in zee kon zwemmen, maar dat ook nog vier poten had, zodat het weer aan land kon kruipen en rond kon lopen!

Geschrokken vroeg Marijn zich af of de Encante nu echt was of niet. Kreeg die oude indiaan dan toch nog gelijk?

28

Vrijdag 13 februari, in de late middag

Vrijdag de dertiende ... Toch was er vandaag nog niets misgegaan. Het moment van de waarheid zou echter dadelijk aanbreken. En misschien was dat wel een grote tegenvaller. Dan had Marijn vier dagen voor niets gepeddeld.

Sinds hij dinsdagochtend was vertrokken, had hij meer dan honderdvijftig kilometer afgelegd over het water. Door de lucht was het nog geen vijftig geweest. Dat had hij gemakkelijk in drie kwartier kunnen doen. Maar Marijn moest nu eenmaal roeien met de riemen die hij had. Door de ontelbare meanders was de afstand drie keer langer.

Gisterochtend zat hij een tijdlang op de bredere en drukker bevaren Rio Morona. Dat gaf hem de kans zijn voorraden wat aan te vullen. Daarvoor was hij aan boord moeten gaan van een voorbijvarende schuit, die een grote drijvende markt bleek te zijn. De boot voer van het ene dorpje naar het andere om allerlei producten te verkopen aan de indianen. Daar zaten kleren bij, schriften en potloden, rijst, meel, gedroogde bonen en olie, batterijen, messen, bijlen en een heleboel ander werkmateriaal. De jongen had ook het geluk zijn jerrycan met benzine te kunnen vullen. Als hij later naar het dorpje van Nunkui terugkeerde, kon hij vandaar gemakkelijk met zijn vliegtuigje vertrekken.

Op de valreep had Marijn ook nog enkele liters bleekwater gekocht. Dat spul kwam misschien nog van pas, als er achter de bocht bij het hoefijzermeer tenminste een dorp lag.

Met stevige slagen peddelde de jongen verder. De rivier die hij nu opvoer, was de Rio Putuime. Die stond samen met dat hoefijzermeer duidelijk op zijn kaart. De werkelijkheid leek nog steeds overeen te komen met wat hij in zijn visioen had gezien. Maar de ultieme test moest nog volgen.

Tergend traag kwam Marijn uit de bocht. En warempel, voor zijn ogen ontvouwde zich een dorp dat omgeven was door een hoefijzermeer. Het was precies hetzelfde panorama als uit zijn droom.

Marijn was dolblij. Alle ellende die hij door het innemen van het brouwsel had meegemaakt, was niet voor niets geweest. Als de rest ook klopte, zou hij hier de volgende sporen van Talitha moeten terugvinden.

Ondanks de pijn in zijn armen roeide de jongen met krachtige slagen naar de aanlegsteiger. De indianen die aan de oever stonden, keken op. Toch leken ze niet erg verwonderd te zijn door zijn komst. Blijkbaar was de beschaving al een aantal jaren geleden tot hier doorgedrongen. Dat was trouwens ook duidelijk te zien aan de kledij van de mensen. In tegenstelling tot het dorpje van Nunkui, waar bijna iedereen nog traditioneel gekleed liep, was het hier net andersom. De vrouwen droegen kleurrijke jurken, de mannen shorts en T-shirts.

Op het moment dat de jongen aan land kwam, werd hij vriendelijk begroet. Hoewel dit ook Shuar-indianen waren, werd hij in gebroken Spaans aangesproken.

Marijn vroeg onmiddellijk of ze vorig jaar in oktober of november een donker meisje hadden gezien. Ze had van de andere kant van de bergen moeten komen.

De omstanders keken elkaar met vragende ogen aan. Marijn voelde zijn hart in elkaar krimpen. In vogelvlucht lag dit dorp vlak bij dat van Nunkui, maar er lag wel een moeilijk toegankelijke bergkam tussen. Zou Talitha misschien via het water zijn gekomen?

Toen de jongen geen duidelijk antwoord kreeg, probeerde hij het op een andere manier. Deze indianen droegen wel moderne kleren, maar misschien dachten ze nog heel traditioneel.

Met een bang hart stelde hij zijn vraag deze keer anders. Als hij nu geen duidelijk antwoord kreeg, mocht hij waarschijnlijk denken aan terugkeren.

'Hebben jullie vorig jaar tijdens een van de laatste volle manen geen vrouwelijke bufeo naar jullie feestje zien komen?'

De gezichten klaarden op. Vooral bij een aantal jonge kerels.

'Si,' zei een van hem, 'fue muy hermosa, pero también peligrosa! Ja, ze was heel mooi, maar ook gevaarlijk!'

Een brede glimlach kwam op het gezicht van Marijn. Hij kon die kerel wel omhelzen.

'Y fue cuando? En wanneer was dat?' luidde zijn volgende vraag.

'Fue dos veces! Het gebeurde twee keer! Ze is hier tweemaal geweest. Bij de volle maan van eind oktober en van eind november. Tussenin is ze zelfs niet echt uit het dorp weggegaan. We hebben haar eten moeten geven, want ze was uitgehongerd. Daarna is ze weer naar de rivier gegaan en vertrokken.'

'In welke richting?'

Alle vingers wezen stroomopwaarts. Wat een geweldig nieuws! dacht Marijn. Alles klopte nog.

'En is ze daarna nog teruggekomen?'

Iedereen schudde het hoofd en iemand zei: 'Nee, maar we hebben wel gehoord dat ze bij elke volle maan naar het feest in een ander dorp gaat. Een dorp dat een goeie dag varen verder ligt.'

'Het dorp aan de samenvloeiing van de twee rivieren?' vroeg Marijn. 'Waar niet zo ver daarvandaan een waterval ligt?'

Vol ongeloof keken de indianen de jongen aan. Hoe kon die vreemdeling dat allemaal weten? Ze hadden de jongen nog nooit gezien en het dorp en de waterval stonden op geen enkele kaart!

Meteen zette iedereen een stap achteruit. Wie weet was hij ook een bufeo. Waar zou die rare snuiter anders al die informatie vandaan hebben gehaald?

Zaterdag 14 februari, in de vroege avond

Links van hem was de zon achter de bomen verdwenen. Zodra het hemellichaam ook onder de gezichtseinder was gezakt, zou het vlug donker worden. Nergens ter wereld viel de avond zo snel als in de tropen. Het leek wel alsof iemand met een knop het licht uitschakelde.

Vol goede moed bleef Marijn met zijn peddels door het water ploegen. De bestemming die hij al twaalf uur lang voor ogen hield, had hij nog altijd niet bereikt. Het dorp aan de samenvloeiing van de twee rivieren wilde maar niet opdagen. En hij had niet veel tijd meer ... Gelukkig hoefde hij geen rekening te houden met de invallende duisternis. Zodra de volle maan opkwam, zou hij genoeg licht hebben om verder te varen.

Het grootste probleem was dat hij misschien niet op tijd op zijn afspraak zou zijn. Toeval of niet, vandaag was het niet alleen volle maan, maar ook nog eens Valentijn. Het mocht gewoon niet verkeerd gaan!

Al vijf dagen lang, sinds het visioen over Talitha, had Marijn toegeleefd naar deze avond. Hij had er zich dan ook zo goed mogelijk op voorbereid. Gisterenavond voordat hij ging slapen, had hij het bleekwater in zijn prauw uitgegoten. Nadat hij er water aan had toegevoegd, had hij er zijn jeans, T-shirt en hoed in gelegd. Midden in de nacht was hij speciaal opgestaan om de kledingstukken eruit te halen en goed uit te spoelen. Nu hingen ze al de hele dag in zijn prauw te drogen. Straks kon hij ze weer aantrekken.

Maar waar bleef dat dorpje toch? vroeg Marijn zich bezorgd af. Als dolfijn had het hem veel minder moeite gekost om de tocht af te leggen. En met zijn vliegtuigje zou het nog veel sneller gegaan zijn. Maar de prauw, waarmee hij bovendien tegen de stroom in moest roeien, was gewoon een traag vervoermiddel. Wat een geluk dat hij niet was vertrokken met zijn rubberboot. Dan was hij niet eens halverwege geraakt!

Toch voelde hij meer dan ooit dat hij Talitha op het spoor was en dat zijn moeite niet vergeefs zou zijn. Marijn was telkens weer verbaasd over de zwerftocht die het meisje had ondernomen. Waarom had ze dat eigenlijk gedaan? Ze sprak toch wat Spaans. Als ze zich kenbaar had gemaakt, was de overheid haar in geen tijd op het spoor gekomen. In de plaats daarvan was ze de wildernis in gevlucht. En overal waar ze kwam, had de plaatselijke bevolking haar voor een bufeo aangezien.

Een dof tromgeroffel onderbrak de gedachten van Marijn. Het leek hem vanuit de verte tegemoet te komen. De jongen hield even op met peddelen en luisterde aandachtig. De duisternis was ingevallen en de maan verhief zich achter de bomen. Maar een dorp was tussen de donkere silhouetten van het regenwoud niet te onderscheiden. Er was alleen dat geroffel. Dat was voorlopig genoeg. Heel ver kon de nederzetting nu niet meer zijn. Het moment van de waarheid was aangebroken.

29

Het tromgeroffel vulde de nachtelijke hemel. Fakkels met loeiende vlammen stonden op regelmatige afstand van elkaar in de grond. Ze wezen de weg van de aanlegsteiger naar een grote hut op de heuvel. Daar werd er vanavond gefeest. Daar zou de chicha de hele nacht rijkelijk vloeien en zou er worden gedanst op het ritme van de muziek.

De prauw van Marijn schuurde over het zand en kwam zacht tot stilstand. De jongen had hemel en aarde bewogen om hier te komen en hij had het dan toch gehaald.

Voorzichtig maakte hij zijn vaartuig aan de kant vast. Hij stapte uit en trok zijn kleren aan. Als laatste zette hij de hoed op zijn hoofd.

Toen keerde hij zich naar het water, waar de maan zich in spiegelde. Hij zag zichzelf en zag dat het goed was. Vanaf nu moest hij gewoon ook nog zichzelf zijn. Het dolfijnenkind dat hij altijd was geweest.

Traag beklom de jongen de trappen die langs de fakkels naar de grote hut leidden. Straks zouden alle blikken op hem gericht zijn. Hij hoefde echter niets te vrezen. Integendeel, de vrees zou aan hun kant zijn. Die zou bovendien ook niet lang duren.

Toch was dit niet het doel van zijn komst. Het succes van de avond zou afhangen van iemand die er nu waarschijnlijk nog niet was, maar hopelijk ook niet lang meer op zich zou laten wachten. Voor Marijn had het nu lang genoeg geduurd.

Aan de grote hut keerde hij zich nog één keer om. Beneden lag de rivier waarlangs hij was gekomen en waar zijn prauw met al zijn bezittingen lag aangemeerd. Aan weerszijden van de heuvel vloeiden de twee rivieren samen. Dat had hij allemaal al een keer eerder gezien. Toen draaide de jongen zich nog eens naar rechts. Als ze kwam, zou het vandaar zijn. Een eindje verder lag immers de waterval.

Het ogenblik daarop stapte Marijn de grote hut binnen. Zoals verwacht waren alle blikken op hem gericht. Meisjes in hun mooiste jurken, jongens in hun beste jeans, allemaal keken ze naar hem. Naar dat wezen dat uit het niets scheen te komen en plots in een sneeuwwitte jeans, T-shirt en hoed voor hen stond. Meteen beseften ze welk bezoek ze vanavond kregen en ze maakten dan ook eerbiedig plaats om hem door te laten.

Alsof het de zoveelste keer was dat hij hier voorbijkwam, liep Marijn traag naar het midden. Aarzelend waren de jongeren weer aan het dansen gegaan. En toen hij hun voorbeeld volgde, leek het erop dat het ijs heel snel zou breken.

In geen tijd werd de jongen door lieftallige gezichtjes omstuwd. De mooiste meisjes deden hun uiterste best om bij hem in de smaak te vallen. Maar dat was niet wat hij wilde. Voortdurend bleef hij in de menigte rondkijken. Alsof hij hier iets verloren had.

Talitha moest blijkbaar nog komen. Als ze tenminste kwam. En wat als hij zich schromelijk had vergist? Was het wel wijs om hierheen te komen? Had hij zichzelf nog niet genoeg gekweld dat hij zich dit ook nog aandeed? Verwachtte hij nu echt dat Talitha hier zou verschijnen? Op een feest in een dorp diep in de jungle? Als een roze dolfijn dan nog? Om te dansen in het maanlicht? Omdat het vandaag Valentijn was?

Marijn begon alsmaar meer aan zichzelf te twijfelen. Tot de muziek opeens stilviel. Net zoals dat ook gebeurd was toen hij binnenkwam. Alle hoofden keerden zich naar de deuropening. Een tengere figuur in een sneeuwwitte jurk trad naar binnen.

Marijn kon niet onmiddellijk zien wie het was. Hij zag wel hoe de blikken van alle jongens op het meisje waren gericht. Het leek erop dat ze haar al kenden. Het klopte dus dat ze hier al eerder geweest was.

Het ogenblik daarop zag Marijn wie het was en er was geen twijfel mogelijk. Het meisje dat nu langzaam naar het midden kwam, was Talitha.

30

Ze zag er goed uit. Helemaal niet verwaarloosd, zoals hij had gevreesd. Wel een beetje anders. Maar dat was ook niet verwonderlijk. Ondertussen was het al bijna een jaar geleden dat hij haar nog had gezien. Aan aantrekkelijkheid had ze echter niets ingeboet, integendeel. Niet voor niets stond ze daar in het midden van de belangstelling. En het waren vooral de blikken van de mannen die boekdelen spraken.

Marijn besloot wat dichterbij te komen. Blijkbaar had ze hem nog niet gezien. Even had hij haar willen roepen of naar haar zwaaien. Tot vanavond had hij gedacht dat hij op haar af zou stormen zodra hij haar zag, maar dat durfde hij nu niet. Alles leek zo broos. Kwam dat door de ongewone situatie? Of doordat hij niet goed wist hoe ze na al die tijd zou reageren? Daarom begaf hij zich dansend tussen de anderen. Weliswaar met een hele resem meisjes in zijn kielzog. Hoe zouden die reageren?

Langzaamaan kwam hij dichter bij Talitha. Rondom haar dansten de knapste jongens van het dorp. Ze duwden elkaar om zo veel mogelijk in haar gezichtsveld te kunnen komen.

Marijn was nu vlak bij haar. Slechts enkele jongens versperden hem nog de weg. Toen die hem zagen, gingen ze snel opzij. Het ogenblik daarop stond hij oog in oog met Talitha.

Het meisje glimlachte naar hem, maar leek hem niet te herkennen.

Wat een opdoffer! Marijn was van slag, maar liet niets blijken. Het was alsof hij diep vanbinnen zoiets had verwacht.

‘Hallo,’ zei hij vriendelijk. ‘Blij jou weer te zien.’

Nu had ze zijn stem toch moeten herkennen, nee?

'Dat hebben er mij al heel veel gezegd!' antwoordde ze.

Dit was onmiskenbaar haar stem. Maar wat ze ermee had gezegd, trof Marijn als een mokerslag.

'Maar Talitha!' riep de jongen uit.

'Dat is de zoveelste naam die ik krijg,' riep ze guitig lachend. 'Nee, mooie jongen, je mag proberen, maar je zult me niet krijgen. Niemand trouwens.'

Het ogenblik daarop keerde ze zich van hem weg en danste ze verder. Tegelijk voelde Marijn hoe achter hem minstens twee meisjes aan zijn T-shirt begonnen te trekken. Ze wilden opnieuw zijn aandacht. En daar hadden ze veel voor over. Maar dat was nu wel het laatste waar de jongen zin in had. Het liefst had hij nu Talitha bij de arm gepakt en haar mee naar buiten genomen om haar te vertellen wat hij allemaal had moeten doen om haar terug te vinden.

Maar dat zou hem geen stap dichter bij haar brengen, integendeel. Dat besefte hij heel snel. Wie hij zopas had ontmoet, was Talitha niet meer. Die stem, dat gezicht en dat lichaam waren hetzelfde gebleven. Nog mooier zelfs. Maar haar binnenste was niet meer de Talitha die hij kende. Dat leek iemand anders te zijn. Iemand die het contact met deze wereld verloren had. Dat had hij trouwens ook duidelijk in haar ogen kunnen zien.

Marijn wierp een laatste blik op het meisje en de omgeving. Hij kon niet langer in deze ruimte blijven. Zo discreet mogelijk bewoog hij zich naar de uitgang. Gelukkig hadden de meisjes tot hun grote spijt ingezien dat die vreemde bufeo geen zin meer had en zich wilde terugtrekken. Kort daarop stond Marijn buiten. Daar besloot hij te wachten. Tot Talitha op haar beurt het feest verliet.

Vele uren later

De maan had al een hele weg afgelegd langs een uitspansel dat bezaaid was met ontelbare sterren. De meeste fakkels waren gedoofd en helemaal in het oosten verraadde de kleur van de lucht dat de zon aan die kant zou opkomen. Beneden in de vallei en boven de rivier kon je aan de opstijgende nevelen zien dat straks het koudste moment van de dag zou aanbreken.

Marijn zat nog steeds op dezelfde steen, op nog geen tien meter van de ingang van de grote hut. De enige ingang trouwens, dat had hij al onmiddellijk gecontroleerd. Talitha mocht in geen geval langs een andere weg naar buiten komen. De jongen mocht haar nu niet uit het oog verliezen. Daarom was hij hier ook al de hele tijd blijven waken.

Ondertussen bleef het tromgeroffel maar aanhouden, al was de intensiteit sterk verminderd. De chicha en de vermoeidheid begonnen hun tol te eisen. Dat had hij ook al kunnen merken aan de dorpsbewoners die de hut geregeld verlieten. Dronkenmannen of koppeltjes die de eenzaamheid wilden opzoeken. De meesten waren waarschijnlijk al thuisgekomen. In de hut zaten echter nog genoeg mensen die tot in de vroege uurtjes verder wilden feesten. Of tenminste zo lang er nog maniokbier overbleef.

Toen in de deuropening een tengere figuur in een witte jurk verscheen, moest Marijn zich inhouden om niet op te veren. Hij mocht vooral niet verraden wie hij echt was. Hij moest geduldig wachten tot ze voorbijkwam.

Trippelend daalde Talitha de trappen af. Gelukkig was ze alleen.

Net toen ze bijna voorbijkwam, stapte Marijn uit de schaduw.

'Talitha,' vroeg hij met zachte stem, 'zeg me wat er met jou gebeurd is?'

De enige reactie die hij kreeg, was dat ze er als de wind vandoor ging.

Marijn zette meteen de achtervolging in. Hij mocht haar niet laten ontsnappen.

Als een hinde sprong het meisje over de trappen naar beneden. Blijkbaar was de omgeving haar niet onbekend. Marijn had daarentegen alle moeite van de wereld om haar bij te houden. Hij kon amper zien.

Ze waren bijna beneden, toen de voeten van de jongen hun grip op de grond verloren. Hij gleed uit en viel met zijn sneeuwwitte kleren in de modder. De jongen vloekte, maar gaf zich niet gewonnen. Meteen veerde hij op en zette hij de achtervolging opnieuw in.

Kort daarop hoorde hij geplets en zag hij hoe een kleine, smalle prauw van de kant vertrok. Gelukkig lag zijn prauw niet veraf.

Hij maakte die onmiddellijk los en ging het vaartuig van Talitha achterna. De afstand was nog altijd te overbruggen. Hoe moe hij ook was, hij moest alles geven om haar bij te houden.

Langzaam kwam Marijn dichterbij. Met elke slag van zijn peddel leek de afstand een stukje kleiner te worden. Totdat hij in de verte een muur van nevel zag opdoemen. Talitha ging er recht naartoe.

Nog harder begon Marijn in het water te hakken. Machteloos moest hij toezien hoe het meisje langzaam door die witte mist werd omarmd. Maar de jongen wist nog altijd niet van ophouden.

Op zijn beurt kwam hij in de klamme dampen terecht. Even zag hij niets meer. En toen hij door de mist was, was het bootje van Talitha nergens meer te bespeuren.

Nog enkele keren schreeuwde hij haar naam, maar er volgde niet de minste reactie. Alle moed zonk hem nu in de schoenen. Marijn voelde zich als de prins die door Assepoester in de steek was gelaten. Met dat verschil dat hij helemaal niet met haar had mogen dansen, integendeel!

31

Zondag 15 februari, 's ochtends

Aan de linkerkant begon de zon langzaam over de bomen te gluren. Straks zou de hele rivier in het licht baden. De temperaturen zouden weer omhoogschieten en de hitte zou bijna ondraaglijk worden.

Toch bleef Marijn nog altijd doorgaan. Vroeg in de ochtend had hij geprobeerd om enkele uren te slapen, tenslotte had hij de hele nacht gewaakt. Maar die pogingen waren op niets uitgedraaid. Zijn geest was niet tot rust te krijgen. Wat hij vannacht had meegemaakt, had hij nooit voor mogelijk gehouden. En hij zou pas rust vinden als hij wist hoe de vork in de steel zat. Dus had hij geen andere keuze dan ernaar op zoek te gaan. Gelukkig wist hij in welke richting hij moest gaan. Hij was het laatste spoor aan het volgen. Maar als ook dat niets opleverde, wachtte hem een kater van je welste.

Voor de zoveelste keer die ochtend vroeg de jongen zich af wat er met Talitha gebeurd was. Toen hij tijdens zijn visioenen met haar had gesproken, had hij contact gehad met de Talitha die hij altijd had gekend. Niet dat zwevende, afwezige wezen van vorige nacht. In zijn dromen had ze gesproken vanuit een heel andere wereld, de Encante, als hij dat mocht geloven. Of een wereld die daarop leek. Ze had hem toen duidelijk gezegd dat het moeilijk zou zijn haar daar weg te krijgen. En dat ze daar een deel van zichzelf verloren had. Wat bedoelde Talitha daarmee?

Marijn kon het antwoord maar niet vinden. De vermoeidheid van de voorbije dagen en weken begon haar tol te eisen. De slapeloze en emotionele nacht benevelde zijn geest. Een voor de hand liggende verklaring lag niet meer binnen zijn bereik. Zijn laatste hoop was de waterval. Als hij zich niet vergiste, dan kon die nu niet meer veraf zijn.

Marijn hield op met peddelen en luisterde. De geluiden van het regenwoud kwamen weer op de voorgrond. In de verte hoorde hij echter een heel ander geluid. Een licht geruis. Dat moest de waterval zijn!

Hoewel hij bijna voortdurend krampen kreeg in zijn armen, de vermoeidheid loodzwaar op hem drukte en de angst voor wat komen zou, hem bijna verlamde, gooide hij voor een laatste keer al zijn energie in de strijd.

Net zoals hij vanochtend als een gek had gepeddeld om Talitha in te halen, ging Marijn nu opnieuw tekeer. De waterval riep hem en niets zou hem tegenhouden om ernaar te luisteren.

Aan de linkerkant zag hij een zijriviertje verschijnen. Daar kwam ook het geruis vandaan. Een reeks slagen met de peddel aan de rechterkant van de prauw was voldoende om het vaartuig een andere kant op te krijgen. Het kon niet meer ver zijn, dacht Marijn hoopvol. Het geruis van het vallende water had de klanken uit het regenwoud overstemd. Het einddoel van de lange tocht kwam zo meteen in zicht. Hoeveel bochten het riviertje nog voor hem in petto had, kon Marijn niet inschatten, maar in de verte doemde de bergrug al op. Daar ergens stortte het water met geweld naar beneden. Hopelijk zou hij Talitha daar terugvinden.

Toen Marijn de volgende bocht voorbij was, zag hij wat hij al twee keer in zijn dromen gezien had. Het riviertje liep dood op rotsen. Het werd gevoed door water dat van grote hoogte naar beneden stroomde. Achter de rotsen en het meertje lag de waterval met de regenboog. Marijn had zijn einddoel bereikt. Eindelijk kon hij met zijn eigen voeten door het landschap uit zijn dromen lopen.

Snel maakte hij zijn prauw vast, hij sprong eruit en liep over de stenen naar de kant. Daar vond hij snel een pad. Het liep langs de waterval naar boven. De jongen wilde het volgen, toen hij aan de zijkant van het pad platgedrukte planten in het oog kreeg. Niet ver van het pad leek iets groots te zijn weggestopt.

Marijn liep ernaartoe en zag onder de palmbladeren de kleine prauw liggen waarmee Talitha hem gisterenavond te snel af was geweest.

Voor de eerste keer vandaag kon hij juichen van vreugde, al was het daar nog iets te vroeg voor. Het was al te vaak gebeurd dat er op het laatste moment nog iets zijn plannen in de war stuurde. Maar nu zou hij doorgaan. Desnoods tot het bittere einde.

Een hard geluid doorbrak de rust van het oerwoud. Een geluid dat helemaal niet thuishoorde in deze omgeving.

Als een gek begon Marijn te rennen. Zo snel hij kon, stormde hij het pad op. Toen hij boven was, zag hij in het midden van een klein, rotsachtig plateau met karige begroeiing een aantal keurig onderhouden hutten staan. Dat zou de jongen prachtig gevonden hebben als daar nu geen helikopter aan het landen was.

Het toestel had de grond nog niet geraakt, toen gewapende mannen er al uit sprongen. Ze stormden de hutten binnen en er weerklonken enkele schoten, gevolgd door gehuil van meisjes en vrouwen. Daar moest Talitha tussen zitten!

Zonder na te denken stormde Marijn vooruit. Na de beproevingen die hij de laatste dagen had doorstaan, kon niets hem nog tegenhouden. Verblind door woede rende hij maar door. Dat hij een levende schietschijf was, drong niet tot hem door. Hoe hij het zou aanpakken, kwam niet eens in hem op. De jongen was gewoon zichzelf niet meer.

Vlak voor Marijn in het zicht kwam, werd hij ruw tegen de grond gegooid en door enkele indianen vastgegrepen.

'Ben jij misschien je leven beu?' riep een van hem in gebroken Spaans.

‘Maar mijn vriendinnetje zit daartussen!’ riep Marijn gesmoord.

‘En mijn twee dochters ook,’ beet de indiaan hem toe. ‘We hadden gehoopt dat ze hier veilig zaten, maar ze zijn ontdekt en we kwamen te laat.’

‘Kunnen we dan echt niets doen?’ vroeg Marijn wanhopig. ‘Ik heb haar zo lang gezocht ...’

‘Nee, of wil je misschien dat iedereen daar overhoop wordt geknald? Daar draaien die kerels hun hand niet voor om. Ze hebben mijn dorp al een keer bijna helemaal uitgemoord. Als het moet, maken ze de rest ook meteen af.’

Precies op dat moment werd een groep meisjes en vrouwen de helikopter in gejaagd. Een van hen was Talitha, zag Marijn.

Toen ook zij in het toestel werd geduwd, zag de jongen dat op de flanken van de helikopter de naam Toxico stond.

‘Wat zijn ze van plan?’ vroeg hij uiteindelijk.

‘Eerst verkrachtten ze Moeder Aarde,’ antwoordde de indiaan verbitterd, ‘en nu doen ze hetzelfde met onze vrouwen en dochters.’

‘Kunnen we dan echt niets doen?’

‘Nee, maar misschien ...’

De indiaan kon zijn zin niet afmaken. Het luik van de helikopter werd met een klap dichtgeschoven, de motor begon op volle toeren te draaien en langzaam verhief het toestel zich van de grond.

Met lede ogen zag Marijn hoe het toestel wegvloog. De jongen had eindelijk de plaats gevonden waar Talitha bijna al die tijd had verbleven. En toch waren ze nog steeds niet herenigd. Zou hij haar ooit nog terugzien?

32

'Eind november is ze op deze missiepost aangekomen, nadat ze waarschijnlijk maandenlang had rondgezworven. Toch zag ze er niet echt slecht uit. Het is een taaie meid. Ze wist alleen helemaal niet wie ze was. Ook niet waar ze vandaan kwam en hoe ze in dit land terecht was gekomen. Maar al te graag hadden we de overheid van haar komst op de hoogte gebracht, zodat ze kon worden geholpen. Alleen was dat veel te riskant voor ons. Een aantal indianen van wie het dorp door het leger is uitgeroeid, hield zich hier verborgen. We mochten die mensen niet in gevaar brengen. Later zijn er trouwens nog veel meer bij gekomen.'

De gewonde lekenzuster wees naar Polycarpo en zijn mannen. Marijn knikte en dacht terug aan het artikel dat de missionaris van Puerto America hem had laten lezen.

Toen de helikopter uit het zicht was verdwenen, was Marijn samen met de indianen naar de missiepost gerend. Op de grond hadden ze de lekenzuster gevonden. Men had haar voor dood achtergelaten. Achteraf bleken haar verwondingen veel minder erg te zijn dan gevreesd.

Nadat de vrouw weer bij bewustzijn was gekomen, vertelde ze het relaas van de overval. Het kleine groepje mannen was op dat ogenblik nog niet zo lang vertrokken om te gaan jagen en toen ze de helikopter hoorden, waren ze snel teruggekeerd. Maar het was al te laat om hun dierbaren nog te redden. Gelukkig konden ze Marijn net op tijd tegenhouden. Op die manier hadden de indianen zijn leven wel kunnen redden.

Toen vertelde de vrouw alles wat ze over Talitha wist.

'Het meisje heeft uiteindelijk de naam "Bufea" gekregen,' ging de lekenzuster verder. 'Het waren de indiaanse vrouwen die haar zo hadden genoemd omdat ze haar dagelijks naar de waterval zagen wandelen om de roze dolfijnen op te zoeken. De dieren kwamen geregeld in het waterbassin rondzwemmen. Urenlang kon ze met hen zitten stoeien. Het was snel duidelijk dat ze daarvoor al een heel hechte band met de dieren moest hebben. Maar hoe dat kwam, bleef een raadsel. De meeste indianen waren bang van de bufeo's, maar zij bloeide open als ze tussen de dolfijnen zat. Meer zelfs, de indianen begonnen op de duur bijna te geloven dat ze zelf een bufeo was. Vooral omdat ze bij volle maan altijd op haar kleine prauw wegvoer om in het dichtstbijzijnde dorp te gaan dansen. Dat had ze daarvoor al op andere plaatsen gedaan. Aanvankelijk probeerden we haar tegen te houden, maar daar slaagden we helemaal niet in. De eerste keer ben ik haar op een afstand gevolgd. Ik was meteen gerustgesteld toen ik zag dat het een onschuldige vorm van ontspanning was die we haar niet mochten weigeren.'

Marijn wist genoeg. De vrouw had hem de laatste puzzelstukjes gegeven. Het plaatje dat hij hierdoor kon voltooien, was nu helemaal duidelijk.

Alle ellende was begonnen met het vliegtuig dat op weg van Bolivia naar Baños in het regenwoud was neergestort. Niemand aan boord had de klap overleefd, behalve Talitha, die zonder serieuze verwondingen uit het wrak wist te komen. De klap had echter andere gevolgen voor haar. Niet alleen leed ze aan geheugenverlies, ze moet er ook nog een lange tijd als verdwaasd rondgelopen hebben. De weinige mensen die ze toen op haar pad ontmoette, hadden haar dus onmogelijk kunnen helpen. Daarom dat ze dan ook zo lang had rondgezworven. Totdat deze lekenzuster zich over haar had ontfermd.

Maar waar de mensen niet in slaagden, wisten de dolfijnen wel te bereiken. Ze waren de enige levende wezens die tot in haar diepste wezen hadden kunnen doordringen. Aan hen had ze kunnen vertellen wie ze was en waar ze zich bevond. Op een of andere manier hadden de dolfijnen haar boodschap aan Marijn doorgegeven. Dat was het goeie nieuws dat ze nog leefde, dat ze op een mooie plek bij een waterval vastzat, dat er iemand in het wit voor haar zorgde, maar ook dat ze nog altijd iets van zichzelf kwijt was. Haar geheugen. Dat ene stukje van haar dat blijkbaar nog altijd in de Encante vastzat.

Daar kon later zeker iets aan gedaan worden. Het belangrijkste was nu dat Talitha en die andere vrouwen uit de klauwen van die smeerlappen werden gered. Gelukkig wist Polycarpo, de indianenleider, waar de helikopter precies heen vloog. De man had nu al een plan om de vrouwen te bevrijden. Maar daar zou de hulp van Marijn onontbeerlijk bij zijn.

De jongen aarzelde geen moment toen de indiaan om hulp vroeg. Het lot, of de dolfijnen, had hen samengebracht. Ze zouden nu ook de handen in elkaar slaan om al hun dierbaren te bevrijden.

Ondanks alle antwoorden die Marijn had gekregen, bleef er nog één vraag over, waarvoor hij, noch de zuster, noch de indianen een sluitende verklaring vonden. Hoe waren die kerels erin geslaagd om in een van de meest afgelegen gebieden van het Amazonewoud dat vluchtelingenkamp te vinden? En dan nog net op het moment dat Marijn daar aankwam!

Precies op hetzelfde ogenblik

De blauwwitte helikopter van Toxico vloog nog steeds in noordwestelijke richting. Aan boord zat Ramon Bastos, die zijn gele tanden bloot lachte. Als dat geen succes was! Wat een toeval dat die snotaap van de

Alexander Snybolov hem de weg naar het vluchtelingenkamp had gewezen. Hij had zijn nieuwe vriend, Emilio Morales, geen mooier geschenk kunnen geven. Sinds het leger dat indianendorp van de kaart had geveegd, was de commandant op zoek naar de plek waar de laatste overlevenden zich schuilhielden. Alleen jammer dat Polycarpo en de andere mannen op het nippertje konden ontsnappen. Anders was er voldoende tijd geweest om het kereltje van de Snybolov op te wachten en hem de verrassing van zijn leven te bezorgen. Nu was dat ventje al twee keer in nog geen maand tijd tussen zijn vingers geglipt. Maar hij zou een nieuwe val opzetten. Samen met Morales. En dan zou dat kereltje niet meer ontkomen! Net als die vervloekte indianen. Een beter lokmiddel om hen in de val te laten lopen, konden ze niet aan boord hebben.

33

Dinsdag 17 februari

Meestal lagen olievelden ondergronds, maar dat was hier niet het geval. De hele streek tussen de bovenloop van de Rio Putuime en de Rio Entzacua bood een desolate aanblik. Een van de rijkste gebieden ter wereld wat planten en dieren betrof, was verloederd tot een riool voor ruwe petroleum en andere afvalstoffen die met de ontginning van olie gepaard gingen. Op veel plekken in het regenwoud strekten zich zwarte poelen uit, groter dan voetbalvelden en boordevol gestolde petroleum. Bijna alle waterlopen hadden in meer of mindere maten hele stromen van dat 'zwarte goud' te verwerken gekregen. Wat eens een paradijs was, zag er nu als een troosteloze hel uit.

'Eerst werd het regenwoud verdeeld in genummerde blokken, die aan Amerikaanse en Europese petroleummaatschappijen te koop werden aangeboden. Met de wensen van de indianen die daar al vele eeuwen leefden, werd nauwelijks of geen rekening gehouden. In het begin werden hun rijkdom en vooruitgang beloofd en de eerste indianen gaven makkelijk hun toestemming omdat ze niet goed begrepen wat dat precies inhield. In ruil kregen ze een kist vuurwapens en enkele buitenboordmotoren. De prospectie en de proefboringen konden beginnen. Na de eerste vondsten ging de echte ontginning snel van start. In zo weinig mogelijk tijd en tegen zo laag mogelijk kosten pompten de petroleummaatschappijen zo veel mogelijk olie naar boven. Dat daardoor bijna om de drie dagen grote lekken ontstonden, kon hen niet schelen. In geen tijd raakte al het drinkwater van de streek verontreinigd, kregen mensen kanker en stierven dieren en planten massaal. Daardoor vingen de indianen die hier al van oudsher van jacht en visvangst leefden, opeens niets meer. Door gebrek aan voedsel en drinkbaar water werden ze allemaal verplicht hun dorpen te verlaten. Zo kwamen ze terecht in de sloppenwijken van de grote steden, waar ze het bestaande leger van daklozen aanvulden. De weinigen die er wat geld verdienen, betalen nu voor één fles Amerikaanse cola meer dan zes keer zo veel als de Amerikanen voor een liter petroleum.'

Marijn had tijd nodig om de draagwijdte van de woorden tot hem door te laten dringen. Wat Polycarpo hem nu vertelde, was nieuw voor hem. En had hij de verwoeste landschappen niet met eigen ogen kunnen aanschouwen, dan had hij het verhaal waarschijnlijk niet geloofd. Meteen zag hij in tegen welke vijand ze gisteren ten strijde waren getrokken.

Vandaag was het de tweede dag dat ze de Rio Putuime opvoeren. De gebeurtenissen van eergisteren hadden de indianenleider genoodzaakt de laatste gemotoriseerde prauw die hun restte boven te halen en in orde te brengen. Daarmee waren ze eerst in noordelijke richting vertrokken. Nu bracht het vaartuig hen naar het noordwesten. Dwars door dit verwoeste gebied. Ze zouden nog een eind doorvaren totdat ze de nieuwe weg bereikten. Die had de petroleummaatschappij Toxico speciaal voor de ontginningen aangelegd in het najaar. Het was die weg die in december de ondergang van het dorp van Polycarpo had ingeluid.

'Die manier van handelen moest toch op protest stuiten!' zei Marijn. 'Geen wonder dat jullie in opstand kwamen!'

'Daar waren wij ook van overtuigd,' antwoordde de man. 'Toen we de gevolgen van de roekeloze ontginning inzagen, groeide het verzet. Maar wat kan een arme indianenstam doen tegen rijke multinationals? De maatschappijen werden bovendien geruggensteund door een corrupte regering, die het leger de meest brutale misdaden liet begaan. Het duurde dan ook niet lang of elk indianendorp dat zich ook maar enigszins verzette, werd in geen tijd samen met zijn inwoners van de kaart geveegd. En toen ontdekten we dat wij weldra aan de beurt zouden komen. Een van de leden van onze stam had gelukkig in Quito gestudeerd. Daar had hij kennisgemaakt met Amerikaanse journalisten, die hij van de hele situatie op de hoogte bracht. Wanneer ons dorp zou worden aangevallen, zouden zij erbij zijn om alles vast te leggen. Met dat beeldmateriaal als bewijs zouden ze de hele situatie openbaar proberen te maken. Om de overheid tot kalmte aan te manen hadden we het leger opzettelijk van onze plannen op de hoogte gebracht. Als ze hard zouden optreden, zou de hele wereld meekijken. We wilden het vooral vreedzaam aanpakken. Nadat we hen hadden ingelicht, waren we er zelfs van overtuigd dat het leger precies daarom niet zou durven aan te vallen. Maar uiteindelijk hebben we ons vreselijk vergist. Niet alleen werden die drie Amerikanen vermoord, ons hele dorp werd uitgeroeid en de schuld werd ook nog in onze schoenen geschoven. Je hebt dat krantenartikel met eigen ogen gelezen. Toen ik door een bulldozer bijna in het vuur werd geduwd, ben ik er op het nippertje toch nog in geslaagd te ontsnappen. Samen met mijn twee dochters en een aantal andere mannen, vrouwen en jongeren zijn wij de enigen die de slachtpartij hebben overleefd. Gelukkig vonden we een onderkomen op de afgelegen missiepost. Daar zaten nog andere vluchtelingen en jouw vriendinnetje. Maar nu hebben ze ons een nieuwe slag toegebracht. Ze dwingen ons om voor de eerste keer echt geweld te gebruiken. En als we dat dan ook doen, zullen ze ons voor de hele wereld afschilderen als terroristen.'

Marijn was zo overdonderd dat hij alleen maar kon knikken. Wie het zelf niet had meegemaakt, kon zich zo'n onrecht niet voorstellen.

Ondertussen minderde de prauw vaart. De eerste etappe op hun tocht naar het westen was bijna achter de rug. Vanaf nu zouden ze over wegen moeten reizen. Om niet ontdekt te worden, zouden de indianen dat vooral 's nachts moeten doen. Overdag werden ze immers overal gecontroleerd.

Het vaartuig kwam tot stilstand aan de oever. Ook die was besmeurd met teer. Overal lagen dode vissen te rotten. Marijn sprong aan land. Nog geen tien meter verder zag hij iets bekends liggen. Meteen liep hij erheen. Toen sprongen de tranen in zijn ogen. Aan zijn voeten lag een roze dolfijn, zwart van de olie en levenloos.

Meer had de jongen niet nodig om van de strijd meer dan ooit de zijne te maken!

34

Donderdag 26 februari, in de vroege avond

De zon ging onder. De raffinaderij van Esmeraldas, die hoog boven de sloppenwijk uitrees, leek nu nog meer op een monster dat van een andere planeet kwam. Nog steeds werden dikke, witte walmen uitgebraakt die met de avondwind traag landinwaarts dreven. Zo dompelden ze de hele streek onder in een stank die al van ver kon worden opgesnoven. De vele borden die de weg naar het hermetisch afgesloten complex wezen, waren nu helemaal overbodig. Wie uit het binnenland kwam, moest gewoon zijn neus volgen.

De Rio Esmeraldas, die haar naam aan het havenstadje had gegeven, blonk in het avondlicht door de dunne laag olie die op het water dreef. 'Esmeraldas' betekende 'smaragd', een glinsterende, groene edelsteen. Ooit vloeide deze stroom door de mooiste wouden van het land. Nu was het de meest vervuilde rivier van allemaal, vol water waarin geen enkel leven meer mogelijk was. Een andere, veel rijkere maar onnatuurlijke rivier had de stroom immers ingehaald. Een rivier die door verschillende vertakkingen vanuit de Oriente, het oosten van het land, werd gevoed. Een rivier in de vorm van een pijplijn die elk uur zeshonderdduizend liter aardolie naar deze plaats bracht. Elk uur van de dag en elk uur van de nacht.

In Esmeraldas werd het 'bloed van Moeder Aarde' dat uit het regenwoud was opgepompt en dat ondertussen al zo veel indianenbloed had laten vloeien, zonder ophouden tot diesel en benzine verwerkt. Die producten werden dan naar Amerika verscheept, waar ze door een handvol gewiekste zakenlui tegen hoge prijzen werden doorverkocht.

Niet toevallig was een aantal van die Amerikaanse zakenlui hier vandaag aangekomen. Dezelfde blauwwitte helikopter die vorige week de meisjes hierheen had gebracht, had de Amerikanen vanmiddag op de luchthaven van Quito opgehaald. Dit en nog veel meer was Marijn te weten gekomen tijdens de vier dagen dat hij hier al werkte.

Voordat Marijn werk had gevonden op de raffinaderij van Esmeraldas, had hij een hele weg afgelegd. Eerst had hij er twee dagen over gedaan om van de Oriente hierheen te komen. Verschillende keren had hij daarvoor van bus moeten veranderen. In het junglestadje Macuma had hij afscheid genomen van Polycarpo, maar niet zonder dat die hem eerst een facelift had bezorgd. Marijn mocht immers door niemand worden herkend. Zijn blonde haar werd zwart gemaakt. Hij kreeg een valse snor opgekleefd en ook zijn huid kreeg een donkerdere tint. Uiteindelijk had hij ook nog schamele kleren van plaatselijke makelij aangetrokken. Terwijl hij alleen naar Esmeraldas reisde, zouden Polycarpo en een heleboel andere indianen hem via sluipwegen volgen. Het plan dat ze samen hadden uitgewerkt, was toen al tot in het kleinste detail doorgenomen. Marijn wist precies wat er van hem werd verwacht. Hij zou in de bevrijding van Talitha en de andere meisjes een sleutelrol spelen. En als alles naar wens verliep, zou dat vanavond laat gebeuren.

Vrijdagochtend was de jongen in Esmeraldas aangekomen. Zoals afgesproken, had hij zich onmiddellijk bij de raffinaderij als werkzoekende aangemeld. Omdat hij duidelijk geen kleurling of indiaan was, waren zijn kansen heel groot om te worden aangenomen. En dat gebeurde ook meteen. Maandag was hij al begonnen. Gelukkig was het niet de eerste keer dat hij als werknemer met totaal andere bedoelingen ergens binnendrong.* De risico's die hij nu liep, waren echter veel groter. Deze keer riskeerde hij niet alleen ontslag, hij kon ook in de

* *Zie 'Dolfijnen vrij!'*

gevangenis belanden of veel erger. Om aan het werk te komen, had hij immers valse papieren gebruikt. Die had een contactpersoon van Polycarpo hem onderweg bezorgd.

Het voorbije weekend had Marijn kunnen onderduiken bij een andere kennis van de indianenleider. Die had hem elke nacht onderdak verleend. Maar vanavond zou hij niet naar de schamele hut terugkeren. Voor een handvol dollars had de jongen gisteren kunnen regelen dat hij voor de rest van de week nachtdienst kreeg. Op die manier zou hij straks van de duisternis gebruik maken om het eerste deel van het plan uit te voeren.

Gelukkig had hij ondertussen ook al ontdekt waar de meisjes opgesloten zaten. Dat was helemaal achteraan bij de luxueuze bar die exclusief voor het kaderpersoneel en hun gasten bestemd was. Omdat hier alleen maar mannen werkten, had Marijn al snel door wat de ontvoerders met hun slachtoffers van plan waren. Polycarpo had er niet ver naast gezeten. Tot vandaag was er de meisjes nog steeds niets overkomen, maar de komst van de Amerikanen beloofde niet veel goeds. Een lekkerder hapje recht uit het regenwoud konden de Ecuadorianen hun Amerikaanse gasten niet aanbieden. Maar zoiets zou Marijn niet laten gebeuren! Met de hulp van Polycarpo en zijn mannen zouden ze precies op het juiste moment toeslaan.

Gisternacht was de jongen er zelfs in geslaagd met een van de meisjes contact te leggen. Ze zaten allemaal opgesloten in een ruimte met tralies voor de ramen. Terwijl alle anderen sliepen, had Marijn bij een open raam met de oudste dochter van Polycarpo kunnen spreken. In het kort had hij haar verteld dat ze een van de volgende nachten zouden worden bevrijd. Het meisje had hem gesmeekt haar zijn mes te overhandigen. Na lang aandringen had Marijn uiteindelijk toegegeven. Hij twijfelde echter nog steeds of dat wel een goede beslissing was. Gelukkig had hij zich vandaag een nieuwe dolk aangeschaft. Met een wapen op zak voelde hij zich een pak veiliger. Als het er echt op aan zou komen, kwam hij er toch niet ver mee, besefte hij. Alle bewakers liepen hier immers met vuurwapens rond.

De zwaarste wapens hadden echter al vaak het onderspit moeten delven tegen een goeie list. En met zo'n list zouden ze vanavond proberen hun slag te slaan.

Marijn keek op zijn horloge. De duisternis was nu voldoende ingetreden om de indianen binnen te laten. De jongen liep naar de plek waar hij vorige nacht een van die zware metaaltangen uit de werkplaats had verborgen. Die zou hij straks gebruiken om een opening in de omheining te knippen. Om zo weinig mogelijk op te vallen hadden de indianen een plek gekozen die het minst toegankelijk leek. Maar voor iemand die gewend was zich door de waterpoelen van het regenwoud te bewegen, was het geen probleem om die te bereiken. Het was uiteindelijk voor Marijn veel moeilijker om met die zware tang de plaats van afspraak te bereiken.

Met slechts vijf minuten vertraging kwam hij bij de omheining aan. Daar hoorde hij een kreet van een dier dat hier niet meer leefde. Dat was het afgesproken teken. Zo goed en zo kwaad als het ging, probeerde de jongen de kreet te herhalen. Daarop kwam een tiental indianen uit het niets tevoorschijn. De jongen schrok. Dat ze al zo dichtbij waren, had hij niet kunnen vermoeden. Dat beloofde wat voor straks!

In geen tijd werd er in de omheining een gat geknipt. De eerste die binnenstapte, was Polycarpo. Meteen feliciteerde hij Marijn. In de loop van de dag had men hem op de hoogte gebracht dat de jongen met zijn dochter contact had kunnen leggen. De overhandiging van dat mes stemde hem echter niet zo gelukkig. Wat als een van de bewakers dat zou vinden? Ook had hij de helikopter in de loop van de dag zien landen. Hij wist wie er aan boord was en wat dat voor de meisjes betekende.

Tegelijk was het een prachtkans om zo ongemerkt mogelijk toe te slaan. Het enige wat ze nu nog moesten doen, was zich naar de plaats in kwestie begeven. Dat was helemaal aan de andere kant van het complex. In de omgeving van de luxueuze bar zouden ze wachten tot de heren klaar waren met tafelen. Pas dan zouden ze een voor een naar boven gaan.

35

Enkele uren later

Het dessert had hun goed gesmaakt. Net als de lekkere kop koffie, het glas Franse cognac en de Cubaanse sigaar. Toch zou er nog een toetje volgen. De kers op de taart. Daar hadden de meeste mannen aan tafel al de hele tijd naar uitgekeken.

'Ja, we hebben het beste voor het laatste gespaard. Onaangeraakte schoonheden uit onze regenwouden.'

Alle aanwezigen moesten lachen om de manier waarop de manager van de raffinaderij het had verwoord.

Emilio Morales, de commandant die tegenover de manager zat, vond het allemaal veel te lang duren. Al vanaf het moment dat ze in het oerwoud met de helikopter waren opgestegen, had hij zijn zinnen gezet op het meisje dat half indiaans, half Afrikaans was. Dat hij tot vanavond had moeten wachten, vond hij echt niet eerlijk. Dat zou hij Ramon Bastos, die hier voor de veiligheidsdienst werkte, toch nog eens laten weten. Het mocht niet eerder omdat het onderdeel van een plan was, had die tegen hem gezegd. Een plan om de indianen in de val te lokken ...

Nog geen honderd meter daarvandaan zaten diezelfde indianen en Marijn nog altijd te wachten. Door de verlichte ramen hadden ze de heren in keurige pakken de hele tijd in het oog gehouden. Dat commandant Morales erbij was, had de indianen zowel verontrust als verheugd. De inval zou minder gemakkelijk worden, maar als ze die vent te pakken kregen ...

De indianen zagen hoe de genodigden en hun gastheren opstonden. Tegelijk werden bijna evenveel indianenmeisjes de ruimte binnen geleid door twee gewapende bewakers. Polycarpo had even moeite om zichzelf en de anderen in toom te houden. Maar met de bewakers erbij was het nog veel te gevaarlijk. Bovendien zou er pas worden aangevallen als de gasten naar boven waren gegaan. Dat kon nu elk moment gebeuren.

Nog geen minuut later was het zover. Het moment van de waarheid was eindelijk aangebroken. De indianen, die met pijl en boog gewapend waren, veerden op. Eerst zouden ze de twee bewakers uitschakelen. Dan was het de beurt aan al wie zich bij de meisjes bevond.

Zo snel ze konden, renden de aanvallers het pleintje over dat voor de bar lag. Precies op dat moment schoten enkele felle halogeenlampen aan. De hele omgeving baadde in het licht en twee mitrailleurs ratelden. Drie indianen rolden tegen de grond. Alle anderen bleven stokstijf stilstaan.

Uit de schaduw kwamen de twee bewakers tevoorschijn. Onmiddellijk herkende Marijn een van hen. Ramon Bastos. Hoe kwam die hier?

'De eerste die ook maar één beweging maakt,' schreeuwde Ramon, 'ondergaat het lot van die drie daar. Begrepen?'

Daarop wendde hij zich tot Marijn, die het dichtst bij hem stond.

'En jij, jij komt straks ook aan de beurt. Ik wil je nu alvast bedanken voor je hulp. Dankzij jou zijn we de indianen op het spoor gekomen.'

'Hoezo?' vroeg Marijn verbaasd.

'Welja, na ons avontuur tussen de dode dolfijnen was ik verplicht om hierheen te reizen, ook al had ik daar geen zin in. Mijn baas, Augusto da Silva, hier naast mij, had hier een job gekregen bij de veiligheidsdienst. En hij wilde mij erbij. Enkele weken geleden vernam ik van twee bevriende goudzoekers dat jij ook in de streek was aangekomen. Zij waren het die jou beschoten op het moment dat je met je vliegtuigje wilde landen. En ook toen je terugkwam om te kijken wat ze daar aan het doen waren. Je hebt toen veel geluk gehad. Die twee houden echt niet van pottenkijkers. Maar daardoor wist ik wel dat je in het land zat. En toen heb ik onze nieuwe vriend, commandant Morales, gevraagd jou op te sporen. Die heeft immers overal contacten. Een verkoper met een drijvende winkel op de Rio Morona heeft jou als eerste gesignaleerd. Later wisten jongeren uit een dorp verderop de politie te vertellen dat jij op zoek was naar een waterval. Meteen wisten we waar jij heen wilde. Maar toen we je daar wilden opwachten, ontdekten we tot onze grote verbazing dat er op die plaats ook nog een heleboel indianenmeisjes ondergedoken zaten die Morales al een hele tijd aan het zoeken was. En die vormden het ideale lokaas om jou en de andere opstandige indianen in de val te laten lopen. Bij de waterval kwamen we net te laat, maar deze keer zijn jullie er recht in gelopen.'

'Wat ga je nu met ons doen? Ons aan de politie uitleveren?' vroeg Marijn onmiddellijk.

'Geen denken aan! Anders had ik hier nog veel meer bewakers bij betrokken. Straks, als onze Amerikaanse vrienden voldaan zijn, zullen we hun eens laten zien wat wij met opstandige indianen doen. Maar eerst mogen onze gasten zich nog een beetje amuseren. Vind je ook niet?'

Precies op dat moment weerklonk er een rauwe kreet. Een raam van een van de kamers boven vloog aan diggelen en een zwaar bloedende Amerikaan stortte naar beneden.

Verschrikt keken Bastos en da Silva opzij. Een fractie van een seconde later vlogen er twee pijlen door de lucht. Allebei troffen ze doel. Terwijl Bastos uitleg aan het geven was, hadden Polycarpo en enkele van zijn mannen gezien wat er zich daarboven in een van die kamers aan het afspelen was. Daar had een Amerikaan messteken in de hals gekregen. In zijn poging te vluchten was hij tegen het raam gebotst. De indianen zetten de situatie meteen naar hun hand.

Terwijl Morales en da Silva met pijlen doorboord op de grond lagen te kreunen, stormde Marijn vooruit. Niets zou hem nu nog tegenhouden om Talitha en de anderen te redden.

In geen tijd bereikte hij de bar. Daar probeerde de verschrikte manager zich te verstoppen. Marijn liep door, bereikte de trappen en sprong met reuzenschreden naar boven.

In de eerste kamer op de bovenverdieping hoorde hij kreten. Ze waren duidelijk afkomstig van Talitha. De jongen ramde de deur en zag hoe commandant Morales het meisje de kleren van het lijf probeerde te rukken.

Als een razende vloog Marijn op de bruut af. Met zijn vuisten hamerde hij op het hoofd van de man, maar die was blijkbaar meer gewoon. Onmiddellijk liet hij zijn slachtoffer los en probeerde hij Marijn te pakken te krijgen. De jongen zag direct in dat hij geen partij was. Zo snel mogelijk probeerde hij zijn dolk te trekken. Morales was hem echter voor en greep Marijn vast. Hij was klaar om de jongen in elkaar te slaan. Het ogenblik daarop zakte de commandant echter plotseling in elkaar ...

Marijn keek op. Een pijl had de keel van de man doorboord. In de deuropening zag hij nu ook Polycarpo staan.

'Ik denk dat ik net op tijd kwam,' zei de indiaan. 'Bovendien had ik met die man nog een eitje te pellen. Maar nu moeten we snel weg. De manager is erin geslaagd alarm te slaan. Straks zal de hele omgeving krioelen van de gewapende mannen.'

'En de andere meisjes?' vroeg Marijn.

'Die zijn ook gered. We hebben ze zelfs moeten tegenhouden! Met dat ene mes van jou hadden ze al bijna die Amerikanen toegetakeld.'

Dat had Talitha zeker ook gedaan als ze zichzelf was geweest, dacht Marijn.

De jongen duwde het zware lichaam weg dat nog steeds op hem lag. Hij sprong op en liep naar Talitha, die zich in een hoek van de kamer had teruggetrokken. Ze zei niets. Maar toen hij zachtjes haar hand vastpakte en haar vroeg met hem mee te gaan, bood ze niet de minste weerstand. Het was meer dan een jaar geleden dat hij haar nog had aangeraakt.

36

Overal loeiden er sirenes. Het groepje indianen met de bevrijde meisjes, Marijn en Talitha renden zo snel ze maar konden. Ze moesten immers helemaal naar de andere kant van het complex. Het gat in de omheining bevond zich nog een heel eind verder.

Eerst moesten ze voorbij de installaties van de raffinaderij zelf lopen. Dat was een ware heksenketel die uit een wirwar van rokende en stomende buizen bestond. Daartussen zouden ze niet meer zo gemakkelijk opvallen.

Toen ze daarheen liepen, kwam er een legerjeep met blauwe zwaailichten achter hen aan. Met een zware mitrailleur werden ze beschoten. Gelukkig troffen de schoten geen doel. De afstand was nog te groot en de jeep reed te snel, zodat de schutter niet goed genoeg kon mikken. Een volgend salvo zou zeker gevolgen hebben.

Opnieuw begon het wapen te ratelen. De vluchtelingen waren nu vlak bij de installaties en lieten zich op de grond vallen. Deze keer waren de kogels allemaal raak, maar niet waar ze bedoeld waren. Een reeks buizen en enkele tanks werden zwaar getroffen. Een voor een barstten ze open. De kokende inhoud gulpte naar buiten om enkele seconden later in brand te vliegen. Te laat beseften de militairen wat ze hadden aangericht.

Als antwoord op de kogels stuurden de indianen een aantal pijlen door de lucht. De drie mannen in de jeep kregen de volle lading. Meteen krabbelde het vluchtende groepje overeind om hun vlucht verder te zetten.

Terwijl de ene knal na de andere weerklonk, probeerde het groepje de installaties zo snel mogelijk achter zich te laten. Ze bevonden zich immers vlak bij een reuzenbom die elk moment kon ontploffen. Tegelijk werd de hitte van de zich snel verspreidende vlammen goed voelbaar. Straks zou er van de jeep en de inzittenden niet veel meer overblijven!

Zonder om te kijken haastten de indianen zich voort. Op verschillende plaatsen loeiden de vlammen al tientallen meters op. En toch was dit nog maar het begin van het vuurwerk dat nog komen zou. Dat had Marijn al van in het begin beseft. De raffinaderij was al bijna dertig jaar oud, was nooit vernieuwd of goed onderhouden en dus hopeloos verouderd. Er was niet veel nodig om het te laten misgaan. Dat hadden die kogels daarnet bewezen.

Maar waar de ramp op zou uitdraaien, daar had hij het raden naar. Wat zou er gebeuren als alle olie die in de hele omgeving gemorst was, ook vlam vatte? Net als de olie die overal op de rivier dreef? Marijn mocht er niet aan denken. Dat zou gewoon een catastrofe van je welste worden!

Ondertussen had het groepje vluchtelingen eindelijk de andere kant van het complex bereikt. Bijna het hele buizenstelsel stond in lichterlaaie. Niets versperde hun de weg naar het gat in de omheining.

Ondertussen hadden de vlammen zich een weg naar een van de grootste opslagtanks gevreten. Kort daarop klonk er een ontploffing, die tot ver buiten Esmeraldas hoorbaar was. Door de luchtdruk werd iedereen in de buurt even opgetild en weer tegen de grond gesmakt. Ook Marijn, die nog steeds Talitha bij de hand hield. Beiden kwamen ook samen neer.

Iedereen veerde meteen op, hoewel sommigen zich flink bezeerd hadden. Slechts één persoon bleef liggen.

'Marijn!' riep Talitha, die de jongen bij zijn positieven probeerde te schudden. 'Wat is er met jou gebeurd? Wat doe ik hier? Kom, Marijn, spreek! Waar komen die indianen en dat vuur allemaal vandaan?'

Marijn bewoog nog steeds niet. Waarop Talitha, die door de klap zichzelf had teruggevonden, vreselijk begon te huilen.

37

Boven de Oriente, zondag 2 maart

Heel Zuid-Amerika sprak erover. Het was een van de grootste rampen met een olieraffinaderij die het continent ooit had meegemaakt. Maar dat was ook niet te verwonderen. De oppositie in Ecuador, gesteund door binnen- en buitenlandse milieugroeperingen, zei al langer dat de raffinaderij een bom was die elk moment zichzelf kon opblazen. Alleen had niemand vermoed dat de schade zo groot zou zijn. Niet alleen het hele complex ging in de vlammen op, maar ook de sloppenwijk die eromheen lag. Op een bepaald moment stond zelfs de Rio Esmeraldas in brand! Daar waren ook de meeste slachtoffers gevallen. Die dachten dat ze in het water veilig waren, maar ze hadden geen rekening gehouden met de laag olie die erop dreef.

Hoe de ramp precies begonnen was, had de overheid tot nu toe niet kunnen vaststellen. En waarschijnlijk kwam ze dat ook nooit meer te weten. De brand had alle sporen vernield. Ook alle getuigen waren omgekomen. Onder hen bevonden zich niet alleen de manager, enkele leden van het bewakingspersoneel en een commandant van de politie, maar ook een groep Amerikaanse zakenlui die op bezoek was. Zo luidde althans de officiële versie.

In elk geval zou de dag voor altijd een zwarte bladzijde blijven in de geschiedenis van Esmeraldas. Maar de ramp was ook een kans voor het land om de exploitatie van petroleum voortaan in betere banen te leiden. De natuur en de indianen zouden de eersten zijn die er voordeel uit haalden, gevolgd door alle andere inwoners van het land. Dertig jaar petroleum had Ecuador uiteindelijk meer schulden dan welvaart gebracht.

Dit en nog veel meer stond al enkele dagen lang op de voorpagina van alle kranten in Zuid-Amerika. De twee passagiers van de microlight die op dit ogenblik de grens tussen Ecuador en Peru overvloog, hadden daar echter geen boodschap meer aan.

De piloot, die even daarvoor met een halve tank vanuit Puerto Morona was opgestegen, was dolblij dat hij dit land eindelijk achter zich kon laten. Omdat hij niet alleen vloog, had hij daarnet minder benzine kunnen meenemen. Anders waren ze nooit de lucht in geraakt. Maar een halve tank was voldoende. Ze zouden zonder problemen Puerto America bereiken. Daar wachtte de Alexander Snybolov hen op. De doorgang op de Rio Marañon was intussen weer vrijgemaakt.

Nog enkele uren en Marijn zou zijn vader weerzien. En hij zou niet met lege handen thuiskomen. Degene die achter hem zat, was de juiste persoon. Deze keer had hij zich niet vergist! Het was niemand minder dan Talitha, die Marijn met beide armen stevig vasthield. Talitha, die weer helemaal de oude was, maar aan wie de jongen nog zo veel te vertellen had. En zij aan hem. In een jaar tijd was er immers ontzettend veel gebeurd …

IJzervlakte, Hemelvaart 2009

Wil je reageren op dit verhaal? Of wil je meer informatie over het boek, Patrick Lagrou of andere spannende verhalen van hem? Surf dan naar:
www.dolfijnenkind.be
www.patricklagrou.be
www.griezel.be

Andere boeken in de reeks

ISBN 978 90 448 0785 1

ISBN 978 90 448 0787 5

ISBN 978 90 448 0786 8

ISBN 978 90 448 0901 5

ISBN 978 90 448 0962 6

ISBN 978 90 448 0963 3

ISBN 978 90 448 0923 7

ISBN 978 90 448 1022 6

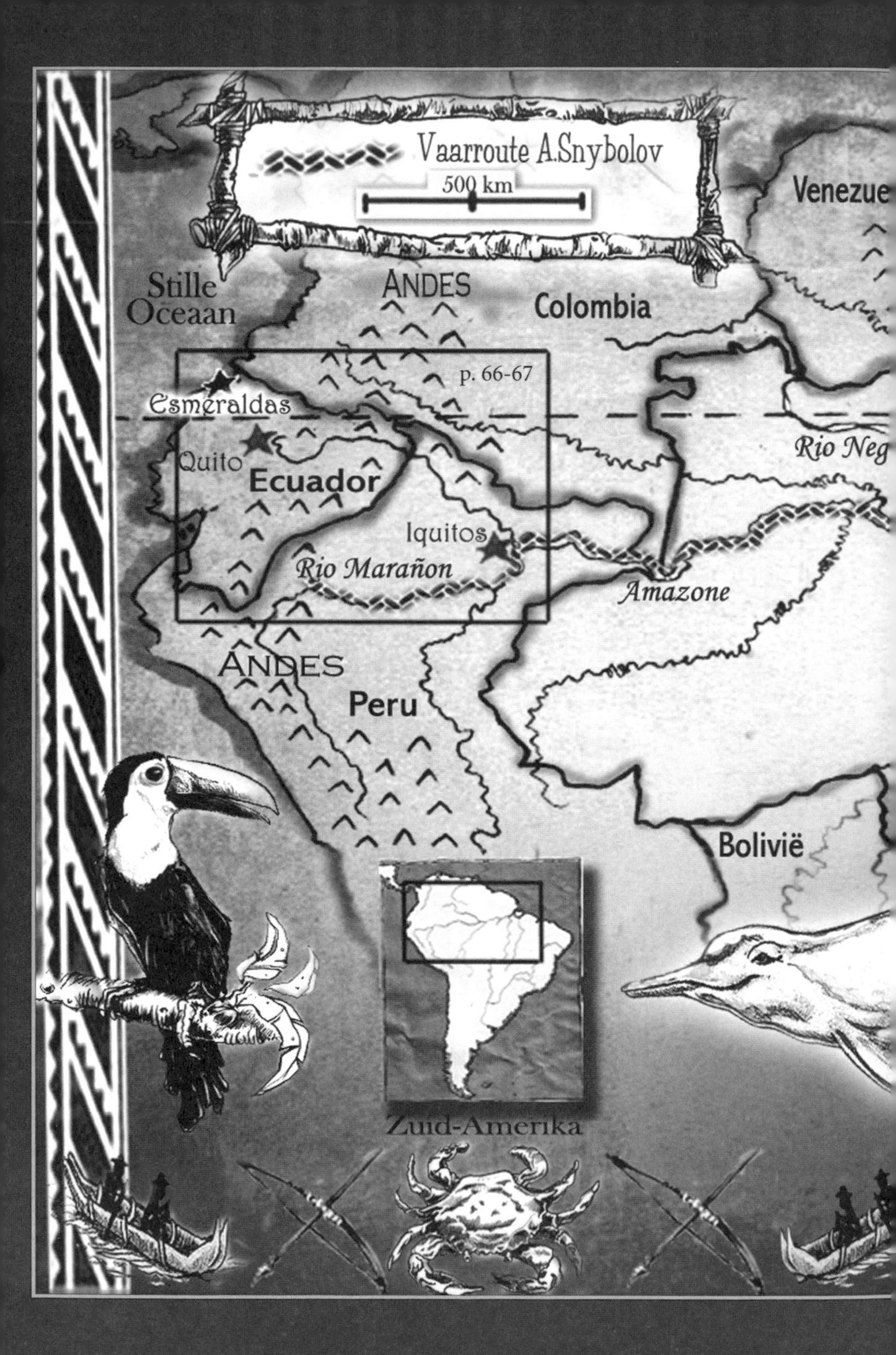

Vaarroute A.Snybolov
500 km
Venezue
Stille Oceaan
ANDES
Colombia
p. 66-67
Esmeraldas
Quito
Ecuador
Rio Neg
Iquitos
Rio Marañon
Amazone
ANDES
Peru
Bolivië
Zuid-Amerika